PAUL SINGER

Urbanização e desenvolvimento

PAUL SINGER

PENSADORES DO BRASIL — Do tempo da ditadura ao tempo da democracia

Urbanização e desenvolvimento

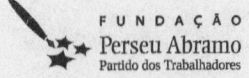

autêntica

ORGANIZADOR Marcelo Gomes Justo

Copyright © 2017 Paul Singer
Copyright © 2017 Autêntica Editora
Copyright © 2017 Perseu Abramo

Todos os esforços foram feitos no sentido de encontrar os detentores dos direitos autorais das obras que constam deste livro. Pedimos desculpas por eventuais omissões involuntárias e nos comprometemos a inserir os devidos créditos e corrigir possíveis falhas em edições subsequentes.

Todos os direitos reservados pela Autêntica Editora e pela Editora Fundação Perseu Abramo. Nenhuma parte desta publicação poderá ser reproduzida, seja por meios mecânicos, eletrônicos, seja via cópia xerográfica, sem a autorização prévia das Editoras.

COORDENADOR DA COLEÇÃO
André Rocha

EDITORA RESPONSÁVEL
Rejane Dias

EDITORA ASSISTENTE
Cecília Martins

REVISÃO
Carolina Lins Brandão

CAPA
Diogo Droschi (sobre fotografia de Roberto Barroso/Agência Brasil)

DIAGRAMAÇÃO
Larissa Carvalho Mazzoni

Dados Internacionais de Catalogação na Publicação (CIP)
(Câmara Brasileira do Livro, SP, Brasil)

Singer, Paul, 1932- .
   Urbanização e desenvolvimento / Paul Singer; Marcelo Gomes Justo (organização). -- 1. ed. -- Belo Horizonte : Autêntica Editora; São Paulo: Editora Fundação Perseu Abramo, 2017. -- (Pensadores do Brasil : do tempo da ditadura ao tempo da democracia)

   ISBN 978-85-513-0033-6 (Autêntica Editora)
   ISBN 978-85-5708-080-5 (Editora Fundação Perseu Abramo)

   Bibliografia.

   1. Desenvolvimento econômico 2. Economia política 3. Singer, Paul, 1932- 4. Urbanização - Aspectos econômicos 5. Urbanização - Aspectos sociais 6. Urbanização - São Paulo (Cidade) - História I. Justo, Marcelo Gomes. II. Título. III. Série.

16-07005   CDD-307.76

Índices para catálogo sistemático:
1. Urbanização e desenvolvimento : Sociologia 307.76

GRUPO **AUTÊNTICA**

Belo Horizonte
Rua Carlos Turner, 420
Silveira . 31140-520
Belo Horizonte . MG
Tel.: (55 31) 3465 4500

Rio de Janeiro
Rua Debret, 23, sala 401
Centro . 20030-080
Rio de Janeiro . RJ
Tel.: (55 21) 3179 1975

São Paulo
Av. Paulista, 2.073,
Conjunto Nacional, Horsa I
23º andar . Conj. 2301 .
Cerqueira César . 01311-940
São Paulo . SP
Tel.: (55 11) 3034 4468

www.grupoautentica.com.br

Sumário

7. Apresentação
Marcelo Gomes Justo

15. Introdução ao livro *Desenvolvimento econômico e evolução urbana*
29. Uso do solo urbano na economia capitalista
43. Movimentos sociais em São Paulo: traços comuns e perspectivas
67. Trabalhar em São Paulo
99. A tarifa-zero e a municipalização do transporte coletivo
119. Conflitos pelo uso do solo urbano
147. A luta pelo Plano Diretor: ideologia e interesses em jogo
183. Os últimos 40 dos 450 anos de São Paulo

197. Entrevista com Paul Singer
Marcelo Gomes Justo

Apresentação

Marcelo Gomes Justo[1]

Se toda delimitação inclui e exclui, um dos objetivos deste recorte temático no conjunto da produção de Paul Singer é provocar no leitor o desejo pelo restante. Priorizou-se reproduzir os estudos publicados em livros do autor ou coletivos e que não foram reeditados. Portanto, não se trata de publicar tudo o que o autor escreveu sobre o tema urbanização e desenvolvimento, o que envolveria outros arranjos editoriais, e sim de apresentar o pensamento do autor nesta linha e em parte de seus escritos de referência.

Primeiramente, partiu-se de um conjunto de textos que problematizam a relação entre a questão urbana e o desenvolvimento e, posteriormente, foi realizado o recorte da seleção final. Em uma parte significativa de toda a sua produção intelectual, Singer levantou e analisou questões como o processo de desenvolvimento gerando diferenças regionais; a disputa pelo uso do solo urbano, dominada pelo mercado privado; o crescimento da Região Metropolitana de São Paulo, o emprego e as condições de trabalho; os movimentos sociais

---

[1] Marcelo Gomes Justo é sociólogo e doutor em Geografia Humana pela USP, especialista em questões sobre conflitos sociais agrários, luta pela terra, campesinato e desenvolvimento territorial rural, com livros e artigos nessas áreas. Trabalhou como pesquisador no Núcleo de Estudos da Violência da USP e, posteriormente, como professor pesquisador por dez anos no Centro Universitário Senac (SP), onde realizou pesquisa sobre desenvolvimento local e educação na zona sul de São Paulo. Atualmente é consultor em Desenvolvimento Territorial Rural.

urbanos por direitos à moradia e aos serviços públicos; o crescimento acelerado das metrópoles com desequilíbrios de oferta de habitação e de serviços. Tais questões continuam presentes porque não foram totalmente resolvidas.

Como outros autores observaram,[2] é um desafio fazer um recorte no trabalho de um pensador que tem quase duas centenas de títulos entre livros completos, capítulos, artigos científicos e artigos de jornais, sobre temas como economia política, desenvolvimento, demografia, setor terciário, modo de produção capitalista, socialismo, economia solidária, entre outros, com inserções na academia, na política partidária e na gestão pública. O foco deste recorte ajustou-se às análises sobre a questão urbana e atentou-se para coerências e eventuais mudanças na perspectiva do autor. Pode-se verificar que, para Singer, a urbanização estaria associada a uma visão de desenvolvimento em que ela seria um processo inexorável. É o predomínio do econômico para olhar o urbano com o reconhecimento dessa limitação.

Há coerências no conjunto de textos de Singer de quase quatro décadas, que podem ser percebidas na defesa do pleno direito à cidade a todos e na compreensão de que o desenvolvimento urbano guiado apenas pelo livre mercado imobiliário impede a realização desse direito. Seja em escritos conceituais, seja no livro sobre a experiência como secretário municipal de Planejamento de São Paulo (1989-1992), ele discorda das críticas antiurbanas postulantes do adensamento como um problema em si mesmo. Outra permanência central em seu pensamento, presente desde sua tese de doutoramento, *Desenvolvimento econômico e evolução urbana*, é o fato de o desenvolvimento econômico não gerar a exclusão/marginalização urbana, e sim a ausência dele – o problema

---

[2] Costa-Filho (2001) apontou para a dificuldade de se pensar na contribuição de Singer devido à abrangência e quantidade de sua produção, que na época somava cerca de 170 títulos. Há uma série de entrevistas que refazem o percurso intelectual de Singer. Baseio-me em: COSTA-FILHO, Alfredo. Paul Israel Singer. *Estudos Avançados*. IEA/USP: São Paulo, v. 15, n. 43, p. 363-374, 2001; MANTEGA, Guido; REGO, José Márcio. Paul Israel Singer. In: *Conversas com economistas brasileiros II*. São Paulo: Ed. 34, 1999. p. 55-89. MOURA, Flávio; MONTEIRO, Paula (Orgs). Paul Singer. In: *Retrato de Grupo – 40 anos do Cebrap*. São Paulo: CosacNaify, 2009. Além destes, o memorial do autor para o concurso de professor titular da FEA/USP foi de grande ajuda, publicado em 2013 pela Com-Arte Editora Laboratório/ECA/USP com o título *Paul Singer: militante por uma utopia*.

é como se dá o desenvolvimento. Interpretado por Singer como um processo contraditório, desenvolvimento é a completa transformação da estrutura de produção e, consequentemente, de toda a sociedade, e caminha junto com a urbanização; porém, no Brasil, criou regiões industrializadas e outras de produção agropecuária. Também são coerências em seus escritos: dialogar com as análises políticas econômicas liberais para afirmar as perspectivas estruturais de Marx, Luxemburgo, Keynes, entre outros; seguir um marxismo não ortodoxo, numa prática voltada para o socialismo democrático, e buscar entender as contradições do desenvolvimento para, assim, ajudar a construir os implantes socialistas.

A partir do livro *Globalização e desemprego*, de 1998, o autor passou a olhar para os empreendimentos econômicos solidários – tanto na cidade quanto no campo – como alternativas ao desemprego estrutural provocado pelo capitalismo globalizado e como construções socialistas. Assim sendo, observa-se em suas elaborações a concepção do desenvolvimento solidário como oposto ao capitalista. Algumas mudanças em seu pensamento sobre a relação urbanização-desenvolvimento começam a se insinuar.[3] Pela perspectiva da economia solidária, o autor e militante se envolverá, cada vez mais, com as cooperativas de agricultores familiares e camponeses, com as associações de artesãos de povos e comunidades tradicionais, com a agroecologia, entre outros ramos rurais, e muitos outros do mundo urbano. Porém, esse é um período posterior na trajetória do autor, que corresponde as suas experiências como Secretário Nacional de Economia Solidária (2003 a abril de 2016). A economia solidária é tema de outro volume da coleção.

No conjunto, o tema, que aparece inicialmente em seu doutorado, de 1966, apresenta certa regularidade nos anos 1970 e 1980 e vai, posteriormente, espaçando em meio a outras temáticas. Há textos mais conceituais sobre desenvolvimento econômico e urbanização, outros que analisam diretamente a Região Metropolitana de São Paulo, principalmente produções em conjunto pelo Centro Brasileiro de

---

[3] Tentei explorar, na entrevista ao final deste volume, as possíveis relações entre as lutas sociais por reforma agrária e agroecologia no campo e uma visão alternativa da urbanização.

Análise e Planejamento (Cebrap) e uma reflexão sobre a atuação como Secretário de Planejamento de São Paulo. Ao analisar o desenvolvimento capitalista no país, Singer o acompanha pelo pulso – a cidade de São Paulo e sua metropolização. Em 1966, havia explicado como o livre mercado levou São Paulo a ser o polo de industrialização e de acumulação de capital no país.

Importante referência, o livro *Economia política da urbanização* – não reproduzido aqui – tem ao menos dois capítulos escritos entre 1972 e 1973, que são chaves nesse conjunto temático e, por isso, comentados aqui. Em "Campo e cidade no contexto histórico latino-americano", publicado originalmente num volume dos *Cadernos Cebrap*, há uma importante contribuição teórica de interpretar a relação campo-cidade pela dominação entre as classes sociais. A relação campo-cidade é um par que configura uma determinada divisão social do trabalho, em que esta tem de subordinar aquele. O autor examina as transformações nesta relação no contexto histórico latino-americano. Historicamente, nessa fatia do continente, a transformação da cidade colonial em cidade comercial manteve o domínio do campo pela cidade, numa dialética que supera e preserva; este mesmo movimento de superação-preservação se repetiu com a transformação da cidade comercial em cidade industrial. Em muitos países do continente, a partir da segunda metade do século XX, o latifúndio deixou de reter mão de obra e as massas migrantes que chegavam às cidades quebravam o equilíbrio campo-cidade. Assim, as tradicionais formas de exploração do campo ficavam inviáveis, o que iniciou uma nova fase da relação campo-cidade na América Latina. O capítulo "Urbanização e desenvolvimento: o caso de São Paulo" também teve uma primeira publicação nos *Cadernos Cebrap*. Destaca-se deste artigo o fato de haver uma análise da crítica antiurbana para se assumir a anticrítica desta. Segundo o autor, a crítica à "explosão urbana", mesmo crítica ao capitalismo, é reacionária porque inverte a ordem do determinante ao concluir que o inchaço urbano não acompanha o crescimento. No entanto, o processo é o contrário: há concentração espacial do capital e, por isso, fluxo migratório. Sem menosprezar os problemas urbanos, como a falta de habitação e de serviços, o foco do texto é analisar a função das metrópoles, mais especificamente São Paulo, na formação do exército industrial de reserva. O desenvolvimento se processa contraditoriamente, portanto a urbanização não deve ser vista como um problema em si, e sim a forma como se dá. São Paulo explora intensivamente a mão de obra nordestina sem precisar ir para o nordeste.

Continuando o percurso, nos anos 1970 e 1980, Singer analisa as consequências e os conflitos do desenvolvimento urbano industrial contraditório. Ao final da década de 1980, analisa as condições de trabalho quando a Região Metropolitana de São Paulo passou pela desindustrialição, mas continuou a ser o centro financeiro do país. Em dois estudos sobre a região na década de 1990 e início dos anos 2000, o autor interpreta a grande São Paulo consolidada como uma economia do setor terciário marcada pela globalização. São quase quarenta anos de análise sobre a cidade.

Vamos aos textos que compõem este volume. A seleção dos textos desta coletânea apresenta um recorte de livros publicados entre 1968 e 2004. O primeiro é a "Introdução" ao livro *Desenvolvimento econômico e evolução urbana*, no qual o autor faz a amarração conceitual sobre o desenvolvimento desigual, comparando cinco cidades brasileiras – São Paulo, Belo Horizonte, Porto Alegre, Blumenau e Recife – e explica a pesquisa e o contexto que resultou em sua tese de doutorado com Florestan Fernandes. Como dito anteriormente, esse texto apresenta a visão conceitual do autor sobre desenvolvimento urbano.[4]

O artigo "Uso do solo urbano na economia capitalista" foi escrito em 1978. Trata-se de um texto conceitual de aplicação das noções de renda da terra de Marx para os terrenos urbanos, como disputa de uso do solo pautada pelo jogo capitalista. O capital imobiliário é um falso capital porque se valoriza não pela produção, mas pelo monopólio. Os preços no mercado imobiliário são determinados pelo quanto a demanda pode pagar e a "produção" de espaço urbano é, usualmente, gerada sobre glebas agrícolas; por isso, o "custo de produção" equivaleria à renda agrícola que a terra deixou de ter; porém, esse custo não determina um preço. Este possui oscilações de demanda, sendo um

---

[4] Observa-se na ordem cronológica algumas ausências de livros sobre o tema, que continuam sendo publicados. Além disso, vale destacar não constar o livro *São Paulo 1975: crescimento e pobreza*, trabalho do Cebrap para a Comissão Justiça e Paz da Arquidiocese de São Paulo, devido ao fato de ser uma autoria coletiva.

mercado especulativo. Há um decrescente de valores do solo urbano nas cidades brasileiras que irradia do centro para as periferias conforme os serviços urbanos rareiam. No entanto, ocorre também processos de geração de novos centros e de obsolescência "moral" das construções mais antigas. O mercado imobiliário não facilita o acesso da população de baixa renda às zonas centrais que foram deixadas pelas elites e/ou por empresas, criando-se assim áreas deterioradas. A contribuição de Singer é mostrar que não é o Estado o motor da distribuição desigual dos serviços urbanos, e sim o mercado imobiliário; é a valorização diferencial do uso do solo determinando o leilão de quem pode pagar mais por melhores condições de serviços fornecidos pelo Estado.

Do trabalho conjunto do Cebrap, *São Paulo: o povo em movimento*, de 1980, temos "Movimentos sociais em São Paulo: traços comuns e perspectivas". Como capítulo final do referido livro, Singer realizou uma análise geral dos movimentos sociais urbanos da Região Metropolitana de São Paulo. As origens comuns dos diferentes movimentos sociais (sindicais, CEBs, custo de vida, mulheres, negros) analisados no livro são as contradições sociais que afetam os trabalhadores de São Paulo e a tomada de consciência destas. Foi a recusa à subordinação. Os movimentos se esforçaram para evitar a reprodução de formas de autoritarismo. Porém, ocorre nos movimentos sociais a reprodução da divisão do trabalho entre manual e intelectual, que se encontra na sociedade como um todo. Há uma reação "basista" a essa distorção, que aparece como arma na luta entre facções internas, expressa em um temor da manipulação – o que mostra a dependência da confiança nos organizadores. A separação entre organização e base aumenta com o crescimento e diversificação dos movimentos. Para crescer sem se deturpar, os movimentos precisam se esforçar na formação ideológica das bases para uma participação efetiva. Em suma, o dilema está dado: com a ampliação da participação democrática, os movimentos podem caminhar para serem fiéis aos seus objetivos iniciais e não se ampliarem ou partirem para lutas mais amplas e terem de lidar com as divisões inerentes.

De outro livro coletivo do Cebrap, *São Paulo: trabalhar e viver*, de 1989, extraiu-se "Trabalhar em São Paulo". É uma reflexão sobre as condições de trabalho e emprego na Região Metropolitana de São Paulo nos anos 1980 (dados de 1976 a 1986) em comparação com os anos 1970. Destaque para o aumento maior do trabalho informal em relação ao formal. Isso provavelmente influenciou numa queda no fluxo migratório à metrópole. No quadriênio 1983-1986, ocorreu uma desaceleração do crescimento da população em idade de trabalhar. Houve uma deterioração na estrutura ocupacional, com declínio das ocupações de melhor nível e aumento daquelas que pagam menos. A maior participação da mulher contribuiu para a redução da renda da população como um todo. Como conclusão, o autor aponta para a interpretação estrutural do processo, e não para uma sucessão de crises.

Publicado em 1996, *Um governo de esquerda para todos - Luiza Erundina na prefeitura de São Paulo (1989-1992)* apresenta uma reflexão sobre a experiência pessoal como Secretário Municipal de Planejamento de São Paulo. Desse livro foram extraídos três capítulos. No capítulo "A tarifa-zero e a municipalização do transporte coletivo", apresentam-se as dificuldades de implementação de tal medida política. Em "Conflitos pelo uso do solo urbano", o autor descreve e analisa os dilemas políticos internos e externos da Secretaria Municipal de Planejamento, que passou por um racha em relação ao papel e ao conteúdo do Plano Diretor municipal após uma polarização entre o lado contrário ao adensamento e o favorável a um relativo adensamento da cidade. O autor mostra-se a favor do relativo adensamento, desde que fosse revertido em ações como a construção de moradias populares. Com base na formulação de uma lei, foi possível promover as chamadas "operações interligadas", as empreiteiras poderiam aumentar algumas áreas construídas desde que apresentassem como contrapartida a edificação de moradias populares. Singer, como um gestor democrata, busca ouvir e conciliar as partes, mas sem deixar de se posicionar como quem tem de executar as propostas do governo municipal. Seu posicionamento, assim como seu pensamento, é complexo: afirma que o adensamento não é um mal em si, e mostra a contradição dos defensores de um limite máximo de adensamento, coerentemente com o que escreveu em 1973 contra as críticas anti-urbanas. Essa discussão reaparece no debate no interior da Secretaria na elaboração do Plano Diretor do município, tratado no capítulo "A luta pelo Plano Diretor: ideologia e interesses em jogo". Tais questões continuam presentes na cidade de São Paulo.

Por fim, foi selecionado "Os últimos 40 dos 450 anos de São Paulo", de *História econômica da cidade de São Paulo*, uma coletânea publicada em 2004 pelos 450 anos da cidade. É a consolidação de São Paulo como cidade de serviço (e não mais industrial); até 1993 a maior parte da ocupação por setor de atividade na Região Metropolitana de São Paulo estava na indústria, em 2001, está em prestação de serviços. O autor reflete sobre sua tese de doutorado, quase quarenta anos depois. Conclui apontando o movimento da sociedade paulista lutando contra o *apartheid* social por meio de ONGs (organizações não governamentais). "Uma parte da cidade partida supera o medo e a passividade e inventa formas sempre novas de manifestar solidariedade às vítimas inocentes do descalabro social. São Paulo, embora madura, não se entrega", conclui Singer.

Percorre-se assim um recorte no pensamento do autor, um caminho analítico do desenvolvimento urbano do Brasil, tendo São Paulo como epicentro. Toda essa racionalização de Paul Singer não deixou de ser sua declaração de amor por São Paulo.

Introdução ao livro *Desenvolvimento econômico e evolução urbana*[1]

O objetivo deste trabalho é a análise do processo de desenvolvimento econômico, encarado sob o prisma da evolução urbana. Estuda-se a evolução de cinco cidades brasileiras a fim de captar o processo de desenvolvimento mediante a multiplicidade dos seus efeitos em diferentes partes do país.

A economia urbana jamais é autossuficiente, pois das atividades produtivas uma não pode ser desenvolvida em seu seio: a produção de alimentos.[2] Portanto, a colocação da economia citadina como objeto de investigação pressupõe o exame de uma área mais ampla, dentro da qual se dá a divisão de trabalho entre agricultura e os setores produtivos que se localizam na cidade. As funções urbanas – indústria, comércio, administração pública, instrução, devoção religiosa, etc. – implicaram o consumo de uma parte dos bens criados nesses setores pelos homens do campo que, em troca, se desfazem de uma parte do seu excedente de produção, destinada a alimentar a população da cidade e, às vezes, a servir como matéria-prima para a indústria urbana. Esse metabolismo econômico entre campo e cidade faz com que a análise tenha que abranger um conjunto maior que a cidade propriamente dita. Esse conjunto se compõe do centro urbano e de suas regiões tributárias, que são definidas como o *hinterland* econômico da cidade. Constituem, portanto, o *hinterland* de um núcleo urbano todas aquelas áreas agrícolas que cedem à cidade (sob a forma de venda

---

[1] Publicado originalmente em: SINGER, P. I. *Desenvolvimento econômico e evolução urbana*. São Paulo: Companhia Editora Nacional/Edusp, 1968. p. 7-18. O texto é a introdução à tese de doutorado do autor, escrita em 1966, e deve ser lido nesse contexto. (N. do Org.)

[2] Pelo menos enquanto a produção de alimentos sintéticos não tiver ultrapassado o estágio de laboratório.

de mercadorias, pagamento de impostos, oferendas religiosas, etc.) parte de seu excedente e consomem, em alguma medida, bens ou serviços da cidade. Portanto, na análise da evolução das cinco cidades brasileiras feita neste trabalho, investigaram-se, de fato, cinco regiões que têm aquelas cidades como polo principal da divisão de trabalho entre campo e cidade.

A abordagem do desenvolvimento econômico sob o ângulo da evolução urbana permite enfocar com maior acuidade os seus efeitos integrativos sobre a economia do país. Não há dúvida de que o desenvolvimento é também um processo de integração nacional. A Economia Colonial apresenta, como uma de suas características cardeais, a desarticulação da economia, que aparece dividida em numerosos compartimentos locais, estanques uns em relação aos outros. Cada segmento local liga-se ao mercado metropolitano diretamente, mediante a venda de produtos "coloniais" ou indiretamente, mediante o fornecimento de produtos de subsistência a um segmento ligado àquele mercado.

Deste modo, apresenta-se a Economia Colonial segmentada em uma série de regiões, cada uma vinculada à economia da metrópole (ou à economia dos países industrializados), sem que haja relações comerciais significativas entre elas, denotando a inexistência de qualquer divisão de trabalho inter-regional no país. Cada umas destas regiões têm por polo, geralmente, um núcleo urbano que desempenha em relação ao todo funções comerciais, administrativas, religiosas, etc. O estudo da evolução das cinco cidades brasileiras mostra como cada uma delas constituiu, durante certo período, a "cabeça" de uma região economicamente autônoma em relação às vizinhas, a qual se vinculava, apenas, a um mercado relativamente distante.

Com o desenvolvimento, a divisão de trabalho "internacional" é substituída por uma divisão de trabalho "intranacional". Este processo, quando não planejado, se dá pela transformação de um dos núcleos urbanos em "polo industrial" de todo país. As demais regiões se envolvem sucessivamente numa divisão de trabalho do tipo "campo-cidade" com este núcleo urbano privilegiado, que passa a ter o resto do país como mercado para os produtos de sua indústria. A integração da economia nacional não se dá de um modo homogêneo, em todo país, não se especializando cada região de acordo com suas potencialidades produtivas; pelo contrário, geralmente uma única área se torna o palco da industrialização em sua fase superior, drenando das demais recursos e mão de obra.

Um dos efeitos do desenvolvimento não planificado é precisamente este: concentrar espacialmente a indústria e especializar a agricultura. A razão básica desse processo de criação de desequilíbrios regionais é, no fundo, a mesma que leva à concentração do capital. A acumulação do capital, tanto numa empresa como numa região, se faz pela reinversão de uma parte do excedente. Quanto maior o excedente, tanto maior a reinversão e mais intensa a acumulação. Quando a técnica de produção tende a levar a economia rapidamente a *rendimentos decrescentes,* como acontece frequentemente com a agricultura colonial e com todas as atividades que dependem predominantemente de recursos naturais escassos, tais diferenças no ritmo de acumulação de capital provocam diferenças no produto (*"out put"*) cada vez *menores*. Quando, no entanto, a técnica de produção tende a levar a economia a *rendimentos crescentes,* como acontece geralmente com a indústria e a agricultura modernas, que utilizam técnicas de produção que proporcionam "economias de escala", então as diferenças no ritmo de acumulação de capital provocam diferenças no produto (*"out put"*) cada vez *maiores*.

Na Economia Colonial havia, por conseguinte, tendências niveladoras, decorrentes da própria técnica de produção empregada. Na Economia Industrial, no entanto, principalmente quando sujeita às leis do mercado, predominam as tendências diferenciadoras, que se acentuam, sobretudo, pelo funcionamento do mercado de capitais que redistribui a parte de excedente destinada à acumulação, pelo território, de acordo com critérios de lucratividade privada, concentrando-os naturalmente no polo industrial mais forte.

É ilusório, portanto, supor que o desenvolvimento ocorre em um ou alguns pontos do território, deixando o resto intocado. O desenvolvimento se dá em toda a economia, porém, com efeitos contraditórios: enquanto industrializa a parte privilegiada do país, reduz as demais à condição de produtores especializados de alimentos ou matérias-primas, privando-as de grande parte do seu excedente acumulável e da melhor parte de sua mão de obra. Só o estudo da evolução de diferentes regiões do país permite revelar esses efeitos contraditórios do desenvolvimento e os meios de que se pode lançar mão para os atenuar ou eliminar.

Na análise da evolução das cinco cidades brasileiras, esses aspectos são abordados na medida em que eles se oferecem com maior nitidez à observação. Com o intuito de não alongar em demasia a exposição, nem todas as facetas são analisadas em cada cidade. Preferiu-se examinar com maior profundidade cada aspecto específico quando do estudo daquelas cidades em que ele se apresenta com maior importância relativa.

O desenvolvimento econômico constitui um processo histórico de mudança global da sociedade. Entre a sociedade colonial e a sociedade industrial – fim do desenvolvimento no duplo sentido do conceito, isto é, como objetivo e término do processo – as diferenças não são apenas quantitativas. Trata-se realmente de dois tipos de sociedade, enquanto organização social para a produção, qualitativamente distintos.

Cada sociedade econômica se define em termos de uma teia de relações que se estabelecem entre os indivíduos enquanto participantes da atividade produtiva, seja como criadores ou usufrutuários do produto. Essas relações decorrem do estágio em que se encontra a divisão do trabalho na sociedade em questão. Na sociedade colonial a divisão do trabalho mal ultrapassa a separação entre trabalho físico e espiritual, que é o primeiro estágio da divisão do trabalho propriamente dita. "A divisão do trabalho torna-se realmente divisão[3] a partir do momento em que é introduzida uma divisão entre trabalho material e espiritual"[4]. A única instância, em que a divisão do trabalho *físico* se torna significativa, na sociedade colonial, é na produção especializada para o mercado externo. Em todo resto das atividades, a divisão do trabalho material ultrapassa apenas em pequena medida aquele estágio "natural" em que os critérios para a especialização são apenas as características biológicas dos indivíduos: idade e sexo.

Na sociedade industrial, a divisão do trabalho é levada ao seu extremo: para a produção de cada mercadoria contribuem numerosos trabalhos especializados e que se multiplicam na medida em que avança a técnica e se aperfeiçoam os elementos materiais da produção.

A organização social assenta sobre a divisão do trabalho. Dela surgem as classes sociais, a partir dela se definem o "status" e os pa-

---

[3] Em alemão, *Teilung*, com o sentido de divisão e partição.
[4] MARX, K.; ENGELS, F. *Die deutsche Ideologie*. Berlim: Dietz Verlag, 1957. p. 28.

péis dos indivíduos e dos grupos na sociedade. O desenvolvimento econômico implica mudança social precisamente porque, em essência, ele constitui uma redivisão do trabalho em todos os sentidos.

A divisão de trabalho não condiciona apenas determinadas relações entre os indivíduos e grupos da sociedade, ela também condiciona as relações entre coletividades diferenciadas no espaço, isto é, entre regiões geoeconômicas distintas. Essas relações, como não poderia deixar de ser, também são completamente alteradas pela revolução provocada pelo desenvolvimento.

Aborda-se, neste trabalho, a transformação nas relações entre diversas regiões geoeconômicas brasileiras, acarretada pelo desenvolvimento. As relações de produção, que se dão entre as classes, só são objetos de análise na medida em que contribuem para esclarecer os fatos, encarados do ponto de vista de sua repartição no espaço. Não vai nisso nenhuma tomada de posição quanto à importância relativa de um ou outro tipo de relações. Foi o ponto de observação escolhido que nos obrigou a enfatizar as dimensões espaciais do processo de desenvolvimento. Se tivéssemos que tomar posição, diríamos que as relações de classe é que são fundamentais para a explicação do processo — o que não significa, evidentemente, que outra abordagem, como a que adotamos neste estudo, não possa contribuir para conhecimento científico de aspectos relevantes do desenvolvimento econômico.

O desenvolvimento econômico é um processo histórico cuja dimensão propriamente econômica consiste numa completa transformação da estrutura de produção preexistente. A única maneira de captar seu sentido global é analisá-lo como processo de transformação estrutural. As abordagens que o encaram como resultado de certos mecanismos econômicos — aprofundamento da divisão internacional, trabalho, diversificação da procura interna, substituição de importações — que alteram determinadas variáveis quantitativamente mensuráveis, somente conseguem, na melhor das hipóteses, *medir* o processo pelos seus efeitos (como se mede a marcha de uma infecção pela temperatura da pessoa que a sofre), sem penetrar em sua essência.

A análise estrutural do desenvolvimento, adotada neste trabalho, começa por caracterizar a estrutura da Economia Colonial, ponto de partida do processo, distinguindo nela segmentos homogêneos funcionalmente diferenciados. Verifica, a seguir, o entrelaçamento dinâmico destes segmentos e as transformações que neles opera o desenvolvimento.

A análise estrutural aqui adotada se fundamenta na percepção de que o crescimento econômico se distingue da transformação estrutural do sistema em que ele ocorre. Na verdade, é muito difícil conceber que uma estrutura econômica possa crescer sem que ela se altere, isto é, sem que a proporcionalidade entre suas partes componentes seja mudada. Deve-se reservar, no entanto, o conceito de "transformação estrutural" aos casos em que, no fim do processo, surge uma estrutura totalmente distinta da que existia no início.

A base teórica mais geral em que se baseia a análise estrutural adotada tem sua origem nas dificuldades encontradas por Marx na análise do crescimento do capitalismo. No capítulo 17 do 2º volume de *O Capital*, ao examinar a circulação da mais-valia, Marx viu-se diante do problema de explicar como podem os capitalistas vender as mercadorias cujo valor representa o excedente da produção social (mais-valia).[5] Em lugar, no entanto, de se preocupar com a demanda capaz de absorver essas mercadorias, Marx se concentrou exclusivamente no aspecto monetário do problema, acabando por achar a solução naquele setor cuja produção, sendo material monetário (ouro), fornece o aumento de numerário indispensável para que a reprodução do capital se dê harmonicamente.

Marx tinha abordado a questão apenas em relação à "reprodução simples", isto é, no caso em que todo excedente (mais-valia) é consumido pela classe dominante e seus apêndices. Rosa Luxemburgo,[6] no entanto, vai estudar a questão no caso da "reprodução ampliada",

---

[5] "A classe capitalista fica sendo, portanto, o único ponto de partida da circulação monetária. Se ela precisa de £ 400 para o pagamento dos meios de produção e de £ 100 para o pagamento da força de trabalho, ela joga £ 500 na circulação. Mas a mais-valia existente no produto, sendo a taxa de mais-valia 100% equivale a £ 100. Como pode ela retirar permanentemente £ 600 da circulação se ela põe, o tempo todo, apenas £ 500 em circulação? De nada sai nada. A classe conjunta dos capitalistas não pode retirar nada da circulação que não tenha sido antes jogado nela" (MARX, K. *Das Kapital*. Berlim: Dietz Verlag, v. II. p. 334).

[6] LUXEMBURG, Rosa. *Die Akkumulation des Kapitals*. Leipzig: Frankes Verlag G.m.b.H, 1921.

em que se verifica investimento líquido, isto é, em que nem todo excedente é consumido, sendo parte destinada à acumulação. Colocando a questão, não em termos monetários, mas do ponto de vista da demanda, pergunta Rosa Luxemburgo: quem vai consumir as mercadorias cujo valor se destina à acumulação (investimento líquido)? Mostra ela que no sistema capitalista puro, concebido por Marx como composto exclusivamente por trabalhadores e capitalistas, tal demanda não existe. O consumo das mercadorias que incorporam a mais-valia acumulável só pode se dar *fora do sistema,* por uma demanda provinda de economias pré-capitalistas ou do setor público (portanto, não capitalista) da própria economia capitalista. Rosa Luxemburgo vai, no entanto, mostrar também que, ao crescer, o sistema capitalista absorve partes dos sistemas pré-capitalistas, de cuja demanda, por assim dizer, ele se nutre, alterando o equilíbrio estrutural do complexo "sistema capitalista – sistema pré-capitalista" que tende, por fim, a se tornar um sistema capitalista "puro", tal qual Marx o concebeu.

Posteriormente, Keynes, utilizando um aparato analítico completamente diferente, concluiu que o sistema capitalista apresenta uma tendência a elevar a parte não consumida do excedente, pelo crescimento da propensão média a poupar. Ao mesmo tempo, a acumulação, isto é, a propensão a investir, tende a se reduzir por falta de incentivos. Para que a economia não caia num estado crônico de subemprego, é preciso que surja uma demanda suplementar que reduza a propensão média a poupar ou eleve o nível de investimentos ou promova as duas coisas. Essa demanda suplementar só pode vir de fora do sistema, do mercado externo ou do Estado (setor público). A longo prazo, Keynes prevê que o Estado terá que assumir a direção dos investimentos, desaparecendo a figura do investidor particular, o que evidentemente implica uma transformação estrutural do capitalismo, pelo menos no sentido do crescimento do setor público e da subordinação do setor privado a ele.[7]

Tanto na análise de Rosa Luxemburgo como na de Keynes, o elemento comum é a concepção de que todo econômico se compõe de partes que se diferenciam funcionalmente. A harmonia do todo resulta da simbiose entre suas partes componentes: economia capitalista e economia

[7] KEYNES, J. M. *The General Theory of Employment, Interest and Money.* London: Macmillan & Co, 1957. (Ver principalmente o cap. 12).

pré-capitalista para Rosa Luxemburgo, setor privado e setor público para Keynes. É importante observar que a diferenciação funcional das partes é condição indispensável para que a simbiose entre elas se possa dar. Se a lógica da economia pré-capitalista não fosse diferente da capitalista ou a do setor público da do privado, os primeiros não poderiam desempenhar seu papel em relação aos últimos. Ambos os autores, enfim, concebem que no término do processo, verifica-se uma transformação estrutural, isto é, que a proporcionalidade entre os setores que definem a estrutura, ao fim de certo prazo, estará definitivamente alterada.

Procuramos analisar a Economia Colonial sob um prisma análogo. A análise estrutural tem sido aplicada, mais recentemente, por numerosos autores, particularmente de língua francesa,[8] aos problemas do desenvolvimento econômico. Surgiram da aplicação dessa metodologia as chamadas concepções "dualistas", que distinguem na economia subdesenvolvida um setor moderno, adiantado ou capitalista, e um setor atrasado, ou pré-capitalista. No Brasil, o pressuposto "dualista" foi utilizado principalmente por Ignácio Rangel e Gilberto Paim.[9] Difere nossa análise da desses autores em vários aspectos significativos, nos quais seria extemporâneo entrar nesta introdução, já que o trabalho que nos propusemos tem menos o propósito de validar este ou aquele modelo estruturalista do que revelar certos aspectos significativos do processo de desenvolvimento, tal qual ele vem se desenrolando no Brasil até o momento. Limitamo-nos, por conseguinte, a expor as bases teóricas de nossa investigação, que serviram sobretudo como instrumentos conceituais na abordagem do material examinado.

Estruturalmente, compõe-se a Economia Colonial de dois setores básicos: um Setor de Mercado Externo, especializado, produzindo artigos "coloniais" para o mercado mundial e um Setor de Subsistência,

---

[8] BARRE, Raymond. *Le développement économique, analyse et politique*. Paris, *Cahiers de L'I.S.E.A.*, n. 66, abr. 1958. GANNAGÉ, Elias. Économie du Développement. Paris, P.U.F., 1962. Os aspectos metodológicos estão expostos com maior clareza no prefácio de François Perroux ao livro de Gannagé.

[9] RANGEL, Ignácio. *Introdução ao desenvolvimento econômico brasileiro*. Salvador: Livraria Progresso Editora, 1954. RANGEL, Ignácio. Desenvolvimento e projeto. Belo Horizonte, separata n. 9 da *Revista da Faculdade de Ciências Econômicas da Universidade de Minas Gerais*, 1957. PAIM, Gilberto. *Industrialização e Economia Natural*. Rio de Janeiro: Instituto Superior de Estudos Brasileiros, 1958.

com baixo grau de divisão de trabalho, em que se produzem os elementos de subsistência para os que atuam em ambos os setores. Um terceiro setor, de Mercado Interno, existe apenas na medida em que não é possível importar certos serviços (comerciais, de transporte etc.) e bens do exterior e que são, portanto, produzidos mercantilmente na própria Economia Colonial. A diferença básica entre os setores de Subsistência e de Mercado Interno é que neste último quase toda a produção se destina ao mercado, ao passo que no primeiro uma parte ponderável da produção se destina ao autoconsumo. Há, portanto, no Setor de Subsistência um segmento considerável de Economia Natural: aliena-se apenas o que pode ser considerado um excedente de produção. É óbvio que a existência deste segmento de Economia Natural é que impede que a especialização no Setor de Subsistência ultrapasse em muito o nível da divisão "natural" de trabalho.

Tentamos demonstrar, em outro lugar,[10] que a Economia Colonial apresenta condições excepcionais de estabilidade estrutural, apesar dos efeitos das mudanças no mercado mundial, que se refletem no Setor de Mercado Externo, mas que são absorvidos pelo Setor de Subsistência. A persistência da Economia Colonial no Brasil, por cerca de 4 séculos, comprova a sua estabilidade e mostra quão enganosa é a referência à Economia Colonial como "subdesenvolvida", como se as potencialidades de desenvolvimento estivessem sempre presentes nela.

A Economia Industrial é composta apenas de um Setor de Mercado, que produz fundamentalmente para o mercado interno e exporta uma parcela relativamente pequena de sua produção. Não se observa, como na Economia Colonial, uma separação rígida entre as empresas que produzem para o mercado interno e as que produzem para o externo. Também não existe na agricultura autoconsumo ponderável, sendo a produção alimentar especializada (como a dos demais ramos) e quase totalmente destinada ao mercado.

O processo de desenvolvimento consiste no crescimento *autônomo* do Setor de Mercado Interno da Economia Colonial até o ponto em que ele tenha absorvido o conjunto das atividades produtivas do país.

---

[10] SINGER, Paul. Conjuntura e Desenvolvimento. *Revista de Administração*, n. 30, p. 141-179, maio 1963.

Ora, normalmente o Setor de Mercado Interno vende suas mercadorias aos participantes do Setor de Mercado Externo ou aos do Setor de Subsistência, sendo que estes dispõem do poder aquisitivo resultante da venda de excedentes de produção ao primeiro. O dimensionamento das atividades do Setor de Mercado Interno depende, portanto, basicamente, da renda gerada no Setor de Mercado Externo, que flutua de acordo com as oscilações das vendas do país no mercado mundial. Na verdade, toda a dinâmica depende do Setor de Mercado Externo, que, por assim dizer, lidera o conjunto da economia. De acordo com o funcionamento "normal" da Economia Colonial, o crescimento do Setor de Mercado Interno é induzido pela expansão do Setor de Mercado Externo. Ora, enquanto o Setor de Mercado Interno permanece nesta situação ele não faz mais que desempenhar um papel de fornecedor *supletivo* do fluxo de importações. O processo de desenvolvimento se inicia por uma ruptura estrutural, começando o Setor de Mercado Interno a crescer autonomamente, tornando-se *competidor* da indústria fornecedora de produtos importados, que ele passa a substituir, até se transformar no setor condutor de toda a economia.

Este processo será examinado, acompanhando-se a evolução econômica de cada uma das cinco cidades e seus respectivos *Hinterländer*. Verificar-se-á que o desenvolvimento não é um processo puramente econômico no sentido de que ele não pode ser explicado em termos de variáveis apenas econômicas. O desenvolvimento exige permanente e profunda intervenção do Estado na economia, seja para desencadear a substituição de importações mediante elevações tarifárias ou manipulações cambiais, seja para acelerar a acumulação do capital, utilizando o poder tributário ou o monopólio da emissão, seja ainda para reorientar o fluxo das inversões para os setores prioritários, do ponto de vista do desenvolvimento, mediante estímulos fiscais, cambiais, subsídios etc.

Ora, o Estado na sociedade colonial reflete os interesses da classe dominante e, no conjunto daqueles, sobressaem-se os do grupo ligado ao Setor de Mercado Externo. Toda política governamental se encaminha no sentido de promover o Setor de Mercado Externo que, como dissemos, é o que lidera a economia global. De modo que, para o Estado promover o desenvolvimento, é preciso haver antes uma mudança política, pelo menos na correlação de forças entre os diferentes grupos da classe dominante, de modo que o poder passe efetivamente para as mãos de representantes do Setor de Mercado Interno.

Deste modo, não pudemos nos cingir, no estudo proposto, ao uso dos instrumentos comuns de análise do economista. Para este, as variáveis sociais e políticas são "dados" prévios à análise. Como tais, essas variáveis são "imobilizadas", ou seja, tornam-se *constantes,* num empobrecimento evidente dos resultados da investigação. Já se disse que "o desenvolvimento é um assunto demasiado sério para ser deixado só aos economistas". É uma proposição correta, na medida em que se refere àquele tipo de economista cuja atividade teorizante é constituída pela construção de um nunca acabar de modelos, em que a elegância na formulação compete com a vacuidade de sentido.

Nos albores da ciência econômica, que então se denominava "Economia Política", os seus cultores não hesitaram em atravessar os limites que lhes assinalava a divisão de trabalho científico e ir buscar na história, na sociologia, na política ou na filosofia as noções e ensinamentos necessários à sua tarefa.

Com o desenvolvimento das teorias neoclássicas, no entanto, começou a crescer nos meios acadêmicos o clamor pela economia "pura", que contribuiu para que a esterilidade dominasse o pensamento econômico por mais de uma geração.

Hoje, certas tendências renovadoras no campo da economia, preocupadas com problemas de macroeconomia e desenvolvimento, estão se voltando para os clássicos, de Quesnay a Marx,[11] cuja atenção estava dirigida para a mesma problemática. Nesta redescoberta dos clássicos da Economia Política, é natural que também sua metodologia acabe por inspirar o pensamento econômico hodierno. Volta a tornar-se necessário incluir numa obra econômica, como o fez Adam Smith, um capítulo de "Como o comércio das cidades contribuiu para o progresso do campo", em que o autor não deixa de observar:

> Em terceiro e último lugar, comércio e manufaturas gradualmente introduziram ordem e bom governo, e com eles, a liberdade e a

---

[11] Ver RANGEL, Ignácio. "Desenvolvimento e projeto", principalmente a Introdução, e FURTADO, Celso. *Desenvolvimento e subdesenvolvimento.* Rio de Janeiro: Ed. Fundo de Cultura, 1961.

segurança dos indivíduos, entre os habitantes do campo, que viviam antes num contínuo estado de guerra com seus vizinhos e de servil dependência para com seus superiores. Este, embora o menos observado, é de longe o mais importante de todos seus efeitos.[12]

Quando analisamos a evolução das cinco cidades brasileiras, não fugimos tampouco a considerar os efeitos do comércio das cidades sobre o campo, procurando integrar numa só visão todos eles, sem isolar os econômicos dos demais. Assim, embora nosso assunto fosse a economia, ou mais precisamente, as alterações sofridas pela economia brasileira sob o impacto do desenvolvimento, nossa análise se estendeu ao campo de outras ciências humanas, na medida em que a elucidação da problemática o exigia, o que os levou a aliar a análise econômica à interpretação de caráter histórico e sociológico.

O presente trabalho foi originalmente planejado como parte integrante de um projeto maior sobre "O desenvolvimento econômico e mudança social", a ser desenvolvido na Cadeira de Sociologia I da Faculdade de Filosofia, Ciências e Letras da Universidade de São Paulo, cuja finalidade é determinar "os fatores societários residuais do Crescimento Econômico no Brasil, na forma em que eles se revelam à análise sociológica comparada de comunidades bem sucedidas na instauração da ordem social competitiva".[13] O levantamento de dados foi financiado por uma dotação da Confederação Nacional da Indústria à Cadeira de Sociologia I, destinada àquele projeto.

A escolha das comunidades teve por critério básico a diversidade da evolução econômica de cada uma, de modo que a análise comparativa pudesse enriquecer-se com a consideração da maior variedade possível de aspectos socioeconômicos diferentes. Deste modo selecionaram-se: São Paulo, uma das duas metrópoles industriais do país; Blumenau, representante de uma das economias de origem camponesa do Sul do país; Porto Alegre, cuja economia reflete as contradições entre a estrutura campesina do norte do Rio Grande

---

[12] SMITH, A. *An Inquiry into the Nature and Causes of the Wealth of Nations*. Nova York: The Modern Library, 1957. p. 385.

[13] FERNANDES, Florestan. *A Sociologia numa era de revolução social*. São Paulo: Companhia Editora Nacional, 1963, p. 305.

e a estrutura latifundiária do sul do mesmo estado; Belo Horizonte, cidade construída com deliberação e certo planejamento e cuja economia espelha as virtualidades agromineradoras do centro-leste brasileiro; Recife, a capital do Nordeste, repositório de seus problemas e de suas potencialidades.

Fomos incumbidos de investigações preliminares em cada uma dessas comunidades, com o fim de levantar os fatos econômicos relevantes para a explicação da sua estrutura econômica atual e suas potencialidades para o futuro. Ao realizarmos os levantamentos, não nos limitamos a considerar apenas os fatos econômicos, pois, como vimos, somente esses seriam insuficientes para lograr o nosso propósito. A pesquisa em cada uma das cidades nos levou a reconstituições históricas e a análises sociológicas, econômicas e políticas, que permitem classificar o trabalho como de "sociologia econômica", categoria que talvez melhor corresponde ao que a Economia Política representava há um século e de cuja visão compartilhamos. Não é preciso ressaltar que os processos sociais só foram abordados como elementos explicativos da realidade pesquisada e que, de modo nenhum, pensamos haver esgotado os objetivos da pesquisa proposta sobre "O desenvolvimento econômico e mudança social".

O levantamento de dados foi realizado em parte mediante pequeno número de entrevistas, em cada cidade, com responsáveis por órgãos de planejamento regional e serviços de administração pública, com empresários privados e com estudiosos de evolução econômica das cidades em questão. Foram levantadas algumas fontes primárias (principalmente Relatórios de Presidentes das Províncias ou Estados) e uma quantidade bem maior de fontes secundárias: estudos sociais, econômicos, geográficos, pesquisas sociológicas, edições comemorativas, conferências, relatos históricos, dados estatísticos, etc.

O material assim levantado foi sistematizado e reinterpretado, à luz dos pressupostos teóricos acima expostos.

Uso do solo urbano
na economia capitalista[1]

O pagamento do uso do solo urbano: a natureza da renda da terra

Sendo a cidade uma imensa concentração de gente exercendo as mais diferentes atividades, é lógico que o solo urbano seja disputado por inúmeros usos. Essa disputa se pauta pelas regras do jogo capitalista, que fundamentado na propriedade privada do solo, a qual – por isso e só por isso – proporciona renda e, em consequência, é assemelhada ao capital. Mas este último é constituído pela propriedade privada de meios de produção, os quais, quando movimentados pelo trabalho humano, produzem o seu valor, o valor da força de trabalho gasta, e mais um valor excedente, que aparece nas mãos do capitalista sob a forma de lucro. O capital gera lucro na medida em que preside, orienta e domina o processo social de produção. Mas o "capital" imobiliário não entra nesse processo, na medida em que o espaço é a condição necessária à realização de qualquer atividade, portanto também da produção, mas não constitui em si meio de produção, entendido como processo de emanação do trabalho humano que o potencia. A posse de meios de produção é a condição necessária e suficiente para a exploração do trabalho produtivo, ao passo que a ocupação do solo é apenas uma contingência que o seu estatuto de propriedade privada torna fonte de renda para quem a detém. Isso é igualmente verdadeiro nos casos em que o solo é objeto de

---

[1] Publicado originalmente em: MARICATO, Ermínia (Org.). *A produção capitalista da casa (e a cidade) no Brasil industrial.* São Paulo: Alfa-Omega, 1979, p. 21-36. Trata-se de uma coletânea de artigos independentes entre si. (N. do Org.)

trabalho, como na agricultura e na extração vegetal ou mineral. Se a propriedade privada dos meios de produção fosse abolida, o capitalismo desapareceria. Mas, se a propriedade do solo fosse socializada, desapareceria a dedução do lucro representada pela renda da terra, entretanto o capitalismo não só continuaria existindo como inclusive se fortaleceria, pois o lucro assim incrementado intensificaria a acumulação de capital.

O "capital" imobiliário é, portanto, um falso capital. Ele é, sem dúvida, um valor que se valoriza, mas a origem de sua valorização não é uma atividade produtiva, e sim a monopolização do acesso a uma condição indispensável àquela atividade. Esse caráter da propriedade imobiliária na economia capitalista não aparece de imediato, porque ela raramente se apresenta em sua forma "pura", ou seja, como uma propriedade de uma extensão de solo urbano intocada pela mão do homem. Quase sempre a propriedade imobiliária urbana é dotada de certas benfeitorias — ela é desmatada, arruada, cercada e não poucas vezes construída —, o que dá a impressão de que seu "valor" resulta das inversões feitas nessas benfeitorias. Mas, na realidade, a influência de tais inversões sobre o "valor" do imóvel muitas vezes era negligenciável. Para perceber isso, basta lembrar que imóveis com as mesmas benfeitorias podem ter preços completamente diferentes, conforme sua localização. É comum que o preço do imóvel seja constituído inteiramente pelo "valor" do terreno, pois o valor da construção, em termos de materiais usados, pode não cobrir sequer o custo de sua demolição.

Convém observar que o "valor" da propriedade imobiliária, na economia capitalista, não passa de renda que ela proporciona, capitalizada a determinada taxa de juros. De uma forma geral, qualquer "título" — seja ele de propriedade ou de crédito — que assegura a seu dono uma renda previsível pode ser transacionado por um preço proporcional àquela renda. O fator de proporcionalidade é dado pelas diversas taxas de juros vigentes no mercado de crédito. Sendo o risco da aplicação imobiliária relativamente baixo, a taxa de juros aplicável sói ser das menores. Digamos que determinada propriedade imobiliária dá ou pode dar a seu dono uma renda de Cr$ 60.000,00 anuais. Se a taxa de juros correspondente a empréstimo de baixo risco for, por exemplo, de 6 % ao ano, o preço do referido imóvel será de aproximadamente Cr$ 1.000.000,00.

A determinação da renda da terra urbana

O uso do solo na economia é regulado pelo mecanismo de mercado, no qual se forma o preço dessa mercadoria *sui generis* que é o acesso à utilização do espaço. Esse acesso pode ser ganho mediante a compra de um direito de propriedade ou mediante o pagamento de um aluguel periódico.

Ao contrário dos mercados de produtos do trabalho humano, em que os preços giram ao redor de uma média constituída pela soma dos custos de produção e margem do lucro capaz de proporcionar a taxa de lucro média sobre o capital investido, os preços no mercado imobiliário tendem a ser determinados pelo que a demanda estiver disposta a pagar. Nos mercados de produtos, se o preço corrente se mantiver por bastante tempo abaixo da média representada pelo preço de produção (custos mais margem de lucro), a oferta inevitavelmente se contrai até que o preço de mercado suba pelo menos ao nível do preço de produção. No mercado imobiliário, a oferta de espaço não depende do preço corrente, mas de outras circunstâncias. A "produção" de espaço urbano se dá, em geral, pela incorporação à cidade de glebas que antes tinham seu uso agrícola. O seu "custo de produção" é, nesses casos, equivalente à renda (agrícola) da terra que se deixa auferir. Mas não há uma relação necessária entre esse "custo" e o preço corrente no mercado imobiliário urbano. Como a demanda por solo urbano muda frequentemente, dependendo, em última análise, do próprio processo de ocupação do espaço pela expansão do tecido urbano, o preço de determinada área desse espaço está sujeito a oscilações violentas, o que torna o mercado imobiliário essencialmente especulativo. Quando um promotor imobiliário resolve agregar determinada área ao espaço urbano, ele visa a um preço que pouco ou nada tem a ver com o custo imediato da operação. A "valorização" da gleba é antecipada em função de mudanças na estrutura urbana que ainda estão por acontecer, e por isso o especulador se dispõe a esperar um certo período, que pode ser bastante longo, até que as condições propícias se tenham realizado. Dado o grau elevado de imponderabilidade dessa antecipação, supor que o nível corrente dos preços de imóveis regule a oferta destes não se justifica.

A procura por espaço, na cidade, é formada por empresas, por indivíduos ou por entidades que atendem as necessidades de consumo coletivo. A procura das empresas objetiva o uso do espaço para realizar ou atividades produtivas (secundárias ou terciárias) ou atividades de circulação comercial, financeira etc. Do ponto de vista das empresas, cada ponto do espaço urbano é único, no sentido de proporcionar determinado elenco de vantagens que influem sobre seus custos. Indústrias de grande porte, que servem ao mercado regional ou nacional, necessitam sobretudo de muito espaço e serviços de infraestrutura: energia, transporte, água etc. Indústrias pequenas, que servem ao mercado local, necessitam principalmente de acesso ao comércio que distribui seus produtos. Estabelecimentos comerciais precisam se localizar junto aos competidores, em zonas onde a clientela está habituada a fazer suas compras. Cada cidade maior tem zonas de comércio atacadista especializado em tecidos, confecções, componentes eletrônicos etc. O estabelecimento de shopping centers junto a zonas residenciais criou um novo padrão de localização de comércio varejista. Certas empresas têm consideráveis vantagens em se aglomerar, pois isso facilita a comunicação entre elas. Não é por outro motivo que a maior parte das sedes de bancos, de companhias de seguro, de grandes sociedades por ações etc., se encontram no chamado "distrito" de cada cidade. O agrupamento de grandes estabelecimentos fabris em distritos industriais tem a mesma explicação.

É claro que, conforme sua localização, cada empresa tem custos diferentes, mas é de se supor que o preço em cada mercado tem que cobrir a médio prazo os custos mais margem "adequada" de lucros das empresas situadas em locais piores, ou seja, daquelas que têm menos vantagens locacionais, embora permaneçam no mercado. Neste caso, as demais empresas teriam um lucro adicional ou superlucro na medida em que seus custos, graças à sua melhor localização, são mais baixos que os das de pior localização. Esse lucro adicional não precisa ser e provavelmente não é igual para todas. As vantagens locacionais se graduam por reduções de custo que variam de zero até margens muito elevadas.

Admitamos, por exemplo, um estabelecimento comercial capaz de conter um estoque no valor de 10 milhões, que é vendido com uma margem de lucro de 10 %; as demais despesas desse estabelecimento, independentemente do número de rotações desse estoque, seriam constituídas pelo pagamento de salários a cinco empregados, no valor de meio milhão por ano. Esse estabelecimento teria as seguintes alternativas locais:

Locais	N.º de rotações do estoque por ano	Margem de lucro	Lucro bruto
A	1	1.000.000	500.000
B	2	2.000.000	1.500.000
C	3	3.000.000	2.500.000

É claro que A constitui a pior localização, onde a empresa só pode esperar um lucro "mínimo" de 500.000; em B, graças a um movimento duas vezes maior, o lucro seria triplicado; e em C ele seria quintuplicado. Nessas condições, se o aluguel anual de A fosse, digamos, de 100.000, a empresa poder-se-ia dispor a pagar até 1.100.000 em B, até 2.100.000 em C. Esses valores constituem a renda diferencial do solo em B e em C.

Não é preciso que os proprietários de B e C consigam efetivamente se apropriar de toda margem de superlucro que seus imóveis podem proporcionar às empresas que os utilizem. Mas, havendo concorrência entre as empresas pelas localizações conforme suas vantagens específicas, o mais provável é que o aluguel ou o preço dos imóveis se fixe em nível bastante próximo do lucro adicional que pode ser auferido em cada um deles.

Como todo espaço urbano é propriedade privada (com as exceções cabíveis), mesmo a pior localização (A no exemplo anterior) tem que ser comprada ou alugada. O seu aluguel constitui a renda absoluta, sendo sua altura determinada, em última análise, pela margem existente entre o preço de mercado dos produtos da empresa que utiliza essa localização e o seu preço de produção. Supondo que a empresa, conforme o exemplo numérico, tenha investido 10.500.000 e que a taxa de lucro fosse de 4 %, ela teria que ficar com 420.000 de lucro bruto de 500.000 e sua disponibilidade para pagar o aluguel só poderia ser de 30.000. Mas se os proprietários de A preferissem deixar o lote vago ao alugá-lo por menos de 100.000 anuais (especulando com a possibilidade de obter esse valor ou mais no futuro) e se a proporção da oferta total de produtos, proveniente de empresas localizadas em A ou em áreas equivalentes a A, fosse bem grande, o preço dos produtos teria que subir algo, elevando a margem de lucro de 10 % para 10,2 %, o lucro bruto subiria de 500.000 para 520.000 e o aluguel de 100.000 poderia ser pago sem que as empresas de pior localização deixassem de auferir a taxa média de lucro.

É preciso ainda distinguir um terceiro tipo de renda da terra urbana que é a renda de monopólio,[2] que decorre da existência de localizações que conferem aos que as ocupam o monopólio do fornecimento de determinadas mercadorias. É o caso, por exemplo, de bares e restaurantes localizados em escolas, clubes, estádios de esporte, aeroportos e semelhantes, afastados de outros estabelecimentos congêneres, que por isso dispõem de um público "cativo". Estão no mesmo caso os que têm lojas em shopping centers, dispondo nestes da exclusividade de venda de determinadas mercadorias. Nestas condições, os que dispõem do monopólio, graças à localização, podem cobrar preços mais elevados pelos produtos que vendem, o que dá lugar a uma renda de monopólio que é, em geral, apropriada no todo ou em parte pelo proprietário do imóvel. Quando o proprietário é uma associação sem fins de lucros (escolas, clubes) pode ocorrer que ele abra mão da renda de monopólio em troca de uma diminuição dos preços cobrados pela empresa que arrenda o local. Mas esses casos constituem exceções.

Poder-se-ia supor que a renda de monopólio é apenas um caso extremo de renda diferencial, mas há uma diferença essencial entre um e outro tipo de renda. A renda diferencial é auferida quando as empresas que a pagam se encontram em mercados competitivos, sem que os produtos por ela vendidos sofram qualquer majoração de seus preços. A renda de monopólio, porém, surge do fato de que a localização privilegiada da empresa lhe permite cobrar preços acima do que a concorrência normalmente forma no resto do mercado.

A demanda de solo urbano para fins de habitação, também distingue vantagens locacionais, determinadas principalmente pelo maior ou menor do acesso a serviços urbanos, tais como, transporte, serviços de água e esgoto, escolas, comércio, telefone etc., e pelo prestígio social da vizinhança. Este último fator decorre da tendência dos grupos mais ricos de se segregar do resto da sociedade e da aspiração dos membros da classe média.

---

[2] A distinção dos três tipos de renda urbana do solo se deve a EDEL, M., Marx's theory of rent: urban applications. *Kapitalistatee*, 4-5/76, San Francisco, 1976.

O acesso a serviços urbanos tende a privilegiar determinadas localizações em medida tanto maior quanto mais escassos forem os serviços em relação à demanda. Em muitas cidades, a rápida expansão do número de seus habitantes leva essa escassez a nível crítico, o que exacerba a valorização das poucas áreas bem servidas. O funcionamento do mercado imobiliário faz com que a ocupação dessas áreas seja privilégio das camadas com renda mais elevada, capazes de pagar um preço alto pelo direito de morar. A população mais pobre fica relegada às zonas pior servidas e que, por isso, são mais baratas.

O elemento "prestígio" tende a segregar os mais ricos da classe média, que paga muitas vezes um preço extra pelo privilégio de morar em áreas residenciais que os "verdadeiros" ricos estão abandonando exatamente devido à penetração dos arrivistas. Os promotores imobiliários, que conhecem bem esse mecanismo, tiram o máximo proveito dele ao fazer "lançamentos" em áreas cada vez mais afastadas para os que podem pagar o preço do isolamento e ao mesmo tempo incorporar prédios de apartamentos em zonas residenciais "prestigiosas".

Pode-se imaginar que a renda da terra paga pelos que utilizam o espaço urbano para fins de consumo tenha o mesmo caráter diferencial da renda paga pelos que demandam o espaço urbano para fins de lucro. Mas a semelhança é superficial apenas. A renda diferencial é paga pelas empresas tendo em vista o superlucro que cada localização específica lhes proporciona. A renda paga pelos indivíduos depende de sua quantidade, da repartição da renda pessoal e de necessidades míticas que a própria promoção imobiliária cria.

Normalmente, o salário cobre o custo de reprodução da força de trabalho, inclusive o custo de ocupar um segmento do espaço urbano. No Brasil, há uma tendência crescente de o Estado subsidiar a reprodução da força de trabalho através de planos de habitação popular, implementados nos últimos anos pelo Banco Nacional da Habitação (BNH). Na medida em que tais planos aumentam a demanda solvável por espaço para morar sem que oferta de serviços urbanos cresça na mesma proporção ao preço do solo aumenta, frustrando os objetivos inicialmente propostos. O resultado tem sido que a parte da população mais carente de condições adequadas de habitação não é atendida.

Resta referir ainda o fato de que, em determinadas condições, empresas e indivíduos disputam áreas idênticas do espaço urbano.

Isso se dá sobretudo com empresas que utilizam os mesmos serviços urbanos – transporte, comunicações, comércio varejista etc. – que a população. Há uma nítida tendência, por exemplo, de certas empresas de serviços (escolas, agências de publicidade, imobiliárias, bancárias etc.) invadirem antigos bairros residenciais, em São Paulo. Em compensação, empresas que necessitam de áreas grandes tendem a migrar para a periferia da cidade, à procura de localização mais barata. Isso tudo tem por consequência unificar o mercado imobiliário em cada cidade, fundindo as demandas por uso produtivo e habitacional do espaço. As leis de zoneamento, que objetivam especializar o uso de cada área do solo urbano, colocam obstáculos à plena realização dessas tendências.

Demandam também espaço urbano, em determinadas localizações, entidades sem fins de lucro que prestam serviços de consumo coletivo: hospitais e escolas públicas, estádios esportivos, repartições governamentais, museus, bibliotecas etc. Sendo uma demanda quantitativamente marginal em relação à das empresas e dos indivíduos, a renda paga por tais entidades é determinada por analogia com a que é paga pela maioria dos usuários do espaço urbano. Nos casos de expropriação por utilidade pública, o processo de avaliação dos imóveis reflete o respeito dos poderes constituídos pela soberania do mercado imobiliário. O que não impede, diga-se de passagem, que os valores imobiliários sejam sistematicamente subavaliados quando se trata de lançar impostos sobre imóveis.

A estruturação do uso do solo urbano

Cada cidade brasileira tem, geralmente, um centro principal no qual se localizam órgãos da administração pública, a igreja matriz, os tribunais, o distrito financeiro, o comércio atacadista, o comércio varejista de luxo, cinemas, teatros etc. O centro principal possui em alto grau todos os serviços urbanos e ao seu redor se localizam as zonas residenciais da população mais rica. Os serviços urbanos se irradiam do centro à periferia, tornando-se cada vez mais escassos à medida que a distância do centro aumenta. Além disso, o conjunto da população e das empresas utilizam, em alguma medida, os serviços disponíveis apenas no centro principal, de modo que a distância em que se encontram do referido centro determina seus gastos de transporte (em dinheiro e em tempo) cada vez que se deslocam até ele. De tudo isso resultaria um "gradiente" de valores do solo urbano[3], que a partir do máximo no centro principal iria diminuindo até atingir um mínimo nos limites do perímetro da cidade.

Na medida em que a cidade vai crescendo, centros secundários de serviços vão surgindo em bairros, que formam novos focos de valorização do espaço urbano. O crescimento urbano implica necessariamente uma reestruturação do uso das áreas já ocupadas. Assim, por exemplo, o centro principal tem que se expandir à medida que aumenta a população que ele serve. Essa expansão esbarra nos bairros residenciais "finos" que o circundavam, determinando o deslocamento de seus habitantes para novas áreas residenciais "exclusivas", providencialmente criadas pelos promotores imobiliários. O anel residencial que circunda o centro principal se desvaloriza e passa a ser ocupado por serviços inferiores: locais de diversão noturna e de prostituição, hotéis de segunda classe, pensões e – em estágio mais avançado de decadência – por cortiços, marginais etc. O envolvimento do centro principal por uma área em decomposição social cria condições para que a especulação imobiliária ofereça, aos serviços centrais da cidade, nova área de expansão. Surge assim um "centro novo" em contraste com o "centro antigo".

É preciso lembrar que esses são processos que levam décadas. O centro antigo não morre logo, podendo coexistir e, em alguma medida, competir com o centro novo durante muito tempo. As grandes inversões feitas em construções – igrejas, edifícios governamentais, prédios escolares e hospitalares – proporcionam ao centro antigo considerável resistência. Enquanto coexistem dois centros principais na mesma cidade, verificam-se também dois gradientes de valores do solo que, em parte, podem-se superpor na medida em que os serviços centrais não se encontram em ambos os centros principais, mas estão divididos entre os dois.

É fora de dúvida que um centro urbano não pode se expandir apenas por agregação de novas áreas ao seu território. A organização espacial das atividades de produção e circulação tem a sua lógica, que consiste, para um bom número delas, na tendência a se aglomerarem,

---

[3] A ideia do gradiente está bem desenvolvida em RICHARDSON, H. W. *Urban Economics* Middlesex: Penguin, 1971.

seja para tirar proveito de sua complementaridade, seja para facilitar a tomada de decisões por parte dos clientes que desejem escolher entre um maior número de ofertas. Essa necessidade de expansão de determinados tipos de empresas de forma contígua no espaço entra inevitavelmente em colisão com outros usos do mesmo espaço, o que impõe a reestruturação deles. A essa tendência de mudança do tipo de uso do solo, que implica, em geral, o deslocamento das habitações de melhor nível para mais longe dos centros de serviços, se soma outra: a da rápida obsolescência "moral" das construções. Em contraste com a grande durabilidade de casas e prédios, sua adequação às necessidades dos usuários é relativamente breve, devido às frequentes alterações do modo de vida e dos gostos e preferências que o progresso técnico e a sucessão nada casual de modas acarretam. O advento e a popularização do automóvel, por exemplo, suscitou a necessidade de garagens de que a maior parte das edificações mais antigas não dispunham. Mudanças menos drásticas mas cumulativas no estilo do mobiliário, no tipo e número de aparelhos eletrodomésticos, no tamanho e composição das famílias etc., acabam por ocasionar em intervalos curtos a obsolescência de grande parte das edificações, acarretando o seu abandono por parte das classes cujo poder aquisitivo lhes permite optar por residências modernas. Convém notar ainda que a obsolescência "moral" não se limita às habitações, mas atingindo também empresas, sobretudo as que prestam serviços à camada mais rica. Escolas, clínicas médicas e dentárias, salões de beleza, butiques, cinemas etc., abandonam suas localizações e edificações obsoletas, com o fito de oferecer instalações atraentes em locais preferenciais, tais como antigos bairros residenciais ou shopping centers, à sua exigente freguesia.

A questão que se coloca é por que as edificações abandonadas pela camada rica e pelas empresas que as servem não são aproveitadas por grupos de menor renda, em geral carentes de moradias adequadas e de serviços. O fato inegável é que o funcionamento do mercado imobiliário não facilita esse aproveitamento, fazendo com que as áreas deixadas para trás pela circulação espacial das elites se transformem em zonas deterioradas. A razão mais geral, provavelmente, está no fato de que as diversas classes sociais, sobretudo as mais pobres, formam comunidades que se segregam no espaço, cujos membros têm boas razões para não se afastar delas, mesmo quando alternativas de moradias superiores, em termos de preço e comodidade, se oferecem. Nas áreas deterioradas, a forma de ocupação mais frequente é o cortiço, formado pela subdivisão de antigas mansões em numerosos cubículos, que acabam sendo alugados a imigrantes recentes, cuja falta de raízes na cidade os torna usuários desse tipo de alojamento. Em outras palavras, a cidade capitalista não apresenta um tipo de demanda intermediária que permita o aproveitamento racional dos investimentos, não só em edificações mas também sem serviços de infraestrutura, realizada no passado. Como a capacidade de pagamento dos imigrantes recentes é muito limitada, a manutenção das edificações em que se localizam os cortiços é negligenciada pelos proprietários, o que acelera sua decadência e, portanto, sua desvalorização. Mas o preço mais reduzido do solo não atrai às zonas deterioradas investidores que poderiam renová-las, pois dificilmente camadas ricas ou de rendimento médio se disporiam a morar em bairros que adquiriram má fama.

Ao cabo de algum tempo se forma um vasto anel de zonas deterioradas ao redor do centro histórico da cidade. Esta parece ser uma característica comum das cidades capitalistas. "Na periferia do distrito central de negócios da cidade há uma zona de transição. Essa zona abrange uma grande porção da assim chamada 'área cinzenta' e usualmente apresenta problemas sérios. Ela se caracteriza por uso misto do solo, edificações decadentes, instabilidade e mudança geral e uma ampla variedade de tipos e níveis de funções. As casas da zona exibem todos os graus de obsolescência; muitos de seus serviços de utilidade pública, concentrações de estabelecimentos comerciais e distritos de armazéns, indústrias e comércio atacadista estão fora de moda e apresentam baixa utilização e a presença de numerosas operações marginais... Tais condições parecem existir porque a zona, além de sua carga de obsolescência e desprezo cívico, não possui as vantagens locacionais de um distrito central de negócios nem condições adaptáveis a um padrão amplamente desejável de vida residencial. Consequentemente, a zona de transição permanece negligenciada tanto pela empresa pública como pela privada".[4]

Para evitar que essa mancha de deterioração se alastre para a cidade cada vez mais, o Estado sói intervir no mercado imobiliário, desapropriando áreas nas zonas decadentes e realizando aí programas

---

[4] PRESTON, R. E. The zone in transition: a study of urban land use patterns. *Economie Geography*, vol. 42, 1966. (Citado por RICHARDSON, 1971. p. 59-60)

de renovação urbana. Embora nada impeça que capitais particulares tomem também iniciativas dessa espécie, é pouco provável que venham a fazê-lo dada a considerável escala que tais empreendimentos requerem, o que implica: ter que tratar com grande número de proprietários (que o empreendedor privado não pode coagir a vender ou a associar à operação); investir soma ponderável de recursos que demoram vários anos para começar a retornar com lucros; e correr riscos mercadológicos consideráveis, já que não se pode saber de antemão se haverá procura solvável para os imóveis da área, uma vez renovada.

Embora não se possa generalizar os programas de renovação urbana, que variam no tempo e no espaço, é indubitável que eles têm por resultado mais comum a recuperação das áreas em deterioração para o uso das camadas média ou rica e das empresas que lhes prestam serviços. Os antigos moradores dessas áreas nada ganham com a renovação.[5] Não tendo poder aquisitivo para continuar na zona renovada, são obrigados a se mudar, o que significa o mais das vezes maior distanciamento do trabalho, quando não perda deste, pagamento de aluguel mais elevado (porque a renovação urbana reduz a oferta de alojamentos baratos) e a perda de relações de vizinhança, o que, para pessoas pobres e desamparadas, pode ser o prejuízo mais trágico.

Em última análise, a cidade capitalista não tem lugar para os pobres. A propriedade privada do solo urbano faz com que a posse de uma renda monetária seja requisito indispensável à ocupação do espaço urbano. Mas o funcionamento normal da economia capitalista não assegura um mínimo de renda a todos. Antes, pelo contrário, esse funcionamento tende a manter uma parte da força de trabalho em reserva, o que significa que uma parte correspondente da população não tem meios para pagar pelo direito de ocupar um pedaço do solo urbano. Essas pessoas acabam morando em lugares em que, por alguma razão, os direitos da propriedade privada não vigoram: áreas de propriedade pública, terrenos em inventário, glebas mantidas

---

[5] "Além do mais, programas de renovação urbana são muitas vezes justificados, como um meio de ajudar os pobres, mas a experiência de vários países, particularmente dos EUA, sugere que as famílias pobres e os pequenos negócios são as principais vítimas" (RICHARDSON, 1971. p. 100). A experiência brasileira no que toca, por exemplo, aos programas de desfavelamentos leva à mesma conclusão.

vazias com fins especulativos etc., formando as famosas invasões, favelas, mocambos, entre outros. Quando os direitos da propriedade privada se fazem valer de novo, os moradores das áreas em questão são despejados, dramatizando a contradição entre a marginalidade econômica e a organização capitalista do uso do solo.

O Estado e o uso do solo urbano

O Estado, como responsável pelo provimento de boa parte dos serviços urbanos, essenciais tanto às empresas como aos moradores, desempenha importante papel na determinação das demandas pelo uso de cada área específica do solo urbano e, portanto, do seu preço. Sempre que o poder público dota uma zona qualquer da cidade de um serviço público, água encanada, escola pública ou linha de ônibus, por exemplo, ele desvia para essa zona demandas de empresas e moradores que anteriormente, devido à falta de serviços em questão, davam preferência a outras localizações. Essas novas demandas, deve-se supor, estão preparadas a pagar pelo uso do solo, em termo de compra ou aluguel, um preço maior que as demandas que se dirigiam à mesma zona quando esta ainda não dispunha de serviços. Daí a valorização do solo nessa zona, em relação às demais. No que se refere à demanda de moradores, a disponibilidade do novo serviço atrai famílias de renda mais elevada e que se dispõe a pagar um preço maior pelo uso do solo, em comparação com os moradores mais antigos, de renda mais baixa. A elevação do preço dos imóveis resultante pode deslocar os moradores mais antigos e pobres, que vendem suas casas, quando proprietários, ou simplesmente saem, quando inquilinos, de modo que o novo serviço vai servir aos novos moradores e não aos que supostamente deveria beneficiar.

As transformações no preço do solo acarretadas pela ação do Estado são aproveitadas pelos especuladores, quando estes têm possibilidade de antecipar os lugares em que as diversas redes de serviços urbanos serão expandidas. No entanto, essa antecipação nem sempre é factível, e quando o é a concorrência entre os especuladores pode forçar a elevação do preço antes que o melhoramento previsto se realize, produzindo sobremaneira os ganhos futuros da operação. Para evitar que isso se dê, a especulação imobiliária procura influir sobre as decisões do poder público quanto às áreas a serem beneficiadas com a expansão de serviços. Uma das maneiras de fazer isso é adquirir, a preço baixo, glebas adjacentes ao perímetro urbano, desprovidas de qualquer serviço, e promover seu loteamento, mas de modo que a parte mais distante da área já urbanizada seja ocupada. Em São Paulo, os promotores atraem para esses lotes famílias pobres, assegurando-lhes o pagamento do terreno a longo prazo e prestações módicas e lhes fornecendo ainda material de construção de graça para que possam erguer seus casebres em regime de mutirão, nos fins de semana. Será essa população que, uma vez instalada no local, irá pressionar o governo para obter serviços urbanos, que para atingi-los têm que passar necessariamente pela parte não ocupada da gleba, que assim se valoriza.

Esses procedimentos acarretam a subutilização dos serviços urbanos, ao manter vagos, à espera de valorização, lotes que dão acesso a pelo menos parte deles. A ironia da situação é que, ao mesmo tempo, cresce a parcela da população que não tem recursos para realmente habitar a cidade, o que significa mais do que permanecer fisicamente dentro dela. Para essa população, que vegeta em favelas ou em vilas operárias, os sistemas de transporte, de comunicação, de saneamento etc., são inacessíveis em maior ou menor grau, ao passo que áreas vagas, que facilitariam esse acesso, lhes são vedadas pela barreira da propriedade privada do solo urbano.

Quem estuda um mapa de distribuição dos serviços urbanos de responsabilidade do Estado no território da cidade verifica facilmente que eles se encontram apenas à disposição dos moradores de rendimentos elevados ou médios. Quanto menor a renda da população, tanto mais escassos são os referidos serviços. Isso poderia despertar a suspeita de que o Estado agravava sistematicamente os desníveis econômicos e sociais, ao dotar somente as parcelas da população que já são privilegiadas de serviços urbanos, do quais as parcelas mais pobres possivelmente carecem mais. Mas a suspeita é infundada. Quem promove essa distribuição perversa dos serviços urbanos não é o Estado, mas o mercado imobiliário.

Sendo o montante de serviços urbanos escassos em relação às necessidades da população, o mercado os leiloa mediante a valorização diferencial do uso do solo, de modo que mesmo serviços fornecidos gratuitamente pelo Estado aos moradores – como ruas asfaltadas, galerias pluviais, iluminação pública, coleta de lixo etc. – acabam sendo usufruídos apenas por aqueles que podem pagar seu "preço" incluído na renda do solo que dá acesso a eles.

Movimentos sociais em São Paulo: traços comuns e perspectivas[1]

Origem dos movimentos sociais

Pode-se dizer que os movimentos sociais analisados neste livro têm por origem contradições sociais que afetam a população trabalhadora de São Paulo. Tais contradições não são efêmeras, pois decorrem do modo como a vida social da cidade está organizada. As contradições sociais podem ser agrupadas conforme a parcela da população que afeta, com cada conjunto delas dando origem a um movimento social específico.

No mundo do trabalho, avulta a contradição entre o montante de salários, constantemente erodido pelo aumento do custo de vida, e o montante de lucros, constantemente reposto e expandido pelo aumento dos preços das mercadorias. Manifesta-se assim a contradição de interesses entre os assalariados, empenhados na luta pelo reajustamento dos salários nominais, tendo em vista recompor seus salários reais e fazê-los corresponder às suas crescentes necessidades de consumo, e os empregadores, interessados em conter o nível dos custos de produção e circulação, tendo em vista maximizar sua margem de lucro. Essa contradição se manifesta também no seio mesmo da produção, dada a resistência dos trabalhadores à pressão multiforme dos patrões no sentido de elevar a produtividade, mediante a intensificação do ritmo

---

[1] Publicado originalmente em: SINGER, P. I.; BRANT, V. C. (Org.). *São Paulo: o povo em movimento*. Petrópolis: Vozes; São Paulo: Cebrap, 1980, p. 207-230. Trata-se do último capítulo do livro, então o autor faz uma análise geral dos movimentos sociais interpretados nos anteriores. Em *São Paulo: o povo em movimento*, Singer também escreveu os capítulos sobre movimento de bairro e sobre feminismo. (N. do Org.)

de trabalho, a redução do absenteísmo e dos intervalos de interrupção do trabalho, o prolongamento das horas extras etc. – resistência que se explica pelo fato de que todas essas tentativas de elevação da produtividade se fazem inevitavelmente às custas da saúde e do bem-estar do trabalhador. Outra faceta dessa mesma contradição, ainda no interior das unidades de produção, é a recusa dos trabalhadores a se limitar à execução de trabalhos repetitivos e rotineiros, enquanto todas as decisões, inclusive as que afetam suas condições de trabalho e seu nível de remuneração, são tomadas unilateralmente pela cúpula administrativa da empresa, que as impõe mediante uma disciplina que é tornada tanto mais rígida pelos que mandam, quanto menos aceitável ela fica para os que obedecem.

Tudo isso suscitou, em São Paulo, um movimento de resistência e de protesto que, dadas as condições de repressão reinantes nas empresas, se manifestou de modo mais explícito no aparelho sindical. Esse movimento de renovação da prática sindical, tendo em vista romper o círculo de ferro que a limitava à prestação de serviços assistenciais e pessoais aos associados, tomou duas formas: a rebelião de direções sindicais "autênticas" às injunções do Ministério do Trabalho e demais órgãos controladores das organizações de classe e o surgimento de "oposições sindicais", que disputam a direção dos sindicatos, mobilizando as bases por ocasião não só de eleições mas também de campanhas salariais, visando ambos (autênticos e oposicionistas) em última análise a uma prática de luta sindical que reflita plenamente as contradições anteriormente sumariadas. Esse duplo movimento de renovação sindical lançou raízes, em São Paulo, graças a anos de esforços heroicos e, na maior parte das vezes, anônimos. Ele alcançou, a partir de maio de 1978, uma primeira vitória de importância histórica, quando os trabalhadores da indústria automobilística de São Bernardo (logo mais acompanhado dos trabalhadores das mais diferentes categorias) conseguiram recuperar o direito de greve, que há mais de 14 anos lhes estava sendo negado mediante repetidos atos de repressão e, no limite, de terror psicológico, econômico e físico.

Na área do consumo, a contradição principal é a que contrapõe necessidades, que se multiplicam em função do próprio progresso técnico, e recursos que, para a maioria pobre da população, são cada vez mais insuficientes, provocando verdadeira deterioração do seu padrão de vida. Nas últimas décadas, a industrialização revolucionou os padrões de consumo de uma parte da população paulistana (obviamente a que dispõe de rendas mais elevadas), pondo à sua disposição numerosos novos produtos, tais como aparelhos de televisão (primeiro em preto e branco e depois em cores), automóveis de passageiros, aparelhos de som, serviços sofisticados de saúde, novas oportunidades educacionais, novas modalidades de recreação etc. Esses padrões renovados de consumo passaram com tempo – aliás, em pouco tempo – a se impor ao conjunto da população, mediante a pressão avassaladora da publicidade, o desaparecimento dos meios de consumo "tradicionais" (diminuição do número de cinemas e mudança na programação dos rádios, por efeito da difusão da televisão, por exemplo) e a competição entre os próprios consumidores. Particularmente sentida pela população pobre, que precisa dos "novos produtos" sem ter acesso a eles, é a carência dos serviços urbanos, tais como transporte de massa, serviços de água e esgoto, canalização de rios e córregos, escolas, postos de assistência à saúde e assim por diante. Esses serviços não somente tornam atraente a vida na cidade como constituem condições indispensáveis à sobrevivência e à reprodução da força de trabalho de moradores de metrópoles como em São Paulo. Assim, sem transporte de massa o acesso aos locais de trabalho e de abastecimento torna-se impossível, sem serviços de saneamento as doenças infectocontagiosas tornam-se incontroláveis, sem escolas as novas gerações não podem ser adequadas às exigências do mercado de trabalho. Particularmente durante os últimos anos, as condições de vida dos trabalhadores paulistanos se agravaram, devido a duas circunstâncias: a aceleração da inflação, que aumentou a desvalorização dos salários reais, sobretudo das camadas menos qualificadas dos assalariados e o descompasso crescente entre procura e oferta de serviços urbanos, que tornou o acesso a esses serviços ainda mais caros (devido à grande valorização dos terrenos urbanos), privando do seu usufruto uma parcela cada vez maior dos trabalhadores da cidade.

Tudo isso suscitou um novo movimento nos bairros pobres das cidades, que se polariza ao redor de reivindicações locais por serviços urbanos, mas tende rapidamente a ultrapassar o nível local para reunir massas consideráveis de consumidores da periferia em campanhas que abarcam setores inteiros da metrópole e, num caso pelo menos, a alcançar nível nacional. Foi o que se deu com a campanha do custo de vida ou movimento contra carestia, que se originou na periferia sul de São Paulo e agora se faz presente em outros centros urbanos do país. Outras campanhas foram a de transporte de massa, que contou com a participação de grupos de vários bairros, também da zona sul da cidade, e a da luta contra os loteamentos clandestinos que hoje se difunde por toda a Grande São Paulo.

Outro movimento, que já atingiu grande expressão entre a população trabalhadora de São Paulo, é o das Comunidades Eclesiais de Base (CEB). Ele é o resultado da retomada, por parte da Igreja latino-americana, de valores cristãos que estão obviamente ausentes da realidade social de países cuja população, no entanto é predominantemente católica. A pobreza, a alienação e a opressão da maioria face ao luxo e ao desperdício praticados por minorias privilegiadas, que monopolizam o conhecimento e o poder de decisão em todos os níveis, contradizem flagrantemente valores como a solidariedade e a fraternidade entre todos os homens, que parcelas crescentes da Igreja Católica estão incorporando à sua mensagem. Essa contradição é antiga e deu lugar, em determinados momentos, a tendências que propunha à Igreja se posicionar a favor dos pobres e oprimidos, contra as estruturas sociais de dominação e de exploração vigentes. Não é esse o lugar para historiar essas tendências do passado e as causas de seu fracasso e subsequente desaparecimento. Interessa apenas recordar que a mais recente delas, conhecida como "teologia da libertação", tomou pé na Igreja latino-americana e suscitou ampla renovação da prática pastoral em numerosas áreas do continente, inclusive em São Paulo, e o movimento das CEBs é um dos seus resultados concretos.

Cada CEB constitui um pequeno grupo de cristãos que procura realizar em comum os valores de sua religião. Essa realização implica prática litúrgica, prática de ajuda mútua e de solidariedade aos mais necessitados e de movimentação ao lado de outros indivíduos e grupos, de diferente inspiração ideológica, em prol de objetivos gerais de libertação. Graças ao empenho de sacerdotes e leigos, o número de CEBs tem se multiplicado rapidamente em todo o país e também em São Paulo. As CEBs têm sido importantes como inspiradoras diretas ou como suportes de vários movimentos sociais da população trabalhadora de São Paulo. A vitalidade de parte das oposições sindicais se deve, em certa medida, ao apoio de Comunidades de Base de composição social operária. A maior parte dos recentes movimentos de bairros da periferia de São Paulo foram iniciados por CEBs. Tanto o movimento contra a carestia como o movimento contra os loteamentos clandestinos são resultados de iniciativas de Comunidades de Base.

Seria um exagero creditar os movimentos sociais de maior expressão, que estão mobilizando a população trabalhadora de São Paulo, *unicamente* a iniciativas de militantes das CEBs ou de várias pastorais da Igreja Católica. Participam desses movimentos também grupos de outras denominações religiosas e grupos inspirados em ideologias não religiosas. Porém, num país católico como o Brasil, é grande a importância da participação dos católicos e particularmente dos membros das CEBs. Isso constitui uma peculiaridade dos movimentos sociais *atuais* em contraste com os que se verificaram no passado, em São Paulo (assim como em outros lugares) e que, em geral, tiveram muito menor participação e apoio de membros da Igreja e não poucas vezes sofreram a oposição da hierarquia dela.

Além dos movimentos gerais, originados por contradições que atingem toda a população trabalhadora, é preciso considerar os que respondem a contradições que afetam determinadas parcelas desta. São contradições que não contrapõem simplesmente dominados e dominadores, explorados e exploradores, mas se verificam no seio do povo mesmo, dividindo-o em discriminados e discriminadores. Essas contradições, ao fracionar os trabalhadores em grupos mutuamente hostis, além da injustiça que acarretam, privilegiando certas pessoas em detrimento de outras, enfraquecem as lutas de todos os oprimidos contra as estruturas de dominação que os submetem.

As mulheres são tradicionalmente submetidas a uma divisão sexual do trabalho, que limita suas atividades às tarefas domésticas. O baixo nível salarial obriga, no entanto, grande parte das esposas e filhas dos operários a se empregar também. Há um número considerável de mulheres que, além disso, são arrimos de famílias que não contam com qualquer membro masculino que possa sustentá-las. Não obstante, as mulheres que trabalham são genericamente consideradas como trabalhadoras "secundárias", isto é, supõe-se que seus ganhos apenas suplementam a receita doméstica, cuja parte principal é proporcionada pelo pai ou marido. Segue daí que se paga às mulheres salários bem menores que aos homens, mesmo quando o trabalho feito pelas mulheres não é inferior, nem em quantidade nem em qualidade, ao realizado pelos homens. Nas oportunidades de promoção, os homens são quase sempre favorecidos, em detrimento das mulheres. Na seleção de candidatos a empregos mais bem pagos, é comum a discriminação contra as mulheres, sobretudo as casadas.

Além de tudo isso, a mulher que trabalha é obrigada a fornecer uma *dupla jornada de trabalho*, já que a maior parte dos encargos domésticos – desde o preparo da comida para a família até o cuidado dos filhos – continua sobre os seus ombros. A responsabilidade familiar dificulta à mulher manter a mesma assiduidade no emprego que o homem – o que permite dar uma base "racional" à discriminação contra a mulher no trabalho.

A mulher pobre, sujeita a dupla jornada de trabalho, aspira, com razão, a se livrar de uma dessas jornadas e a única de que aparentemente poderia prescindir é a do trabalho fora de casa, desde que o salário do marido (ou pai) fosse suficiente para os gastos da família. Mas, de todos os trabalhos rotineiros e alienantes, hoje em dia, o que mais aliena é o trabalho doméstico porque ele, além de tudo, é feito, em geral, *isoladamente*. A mulher, limitada durante toda a vida ao desempenho apenas das funções de esposa e mãe, está sujeita a um subdesenvolvimento psicológico e cultural extremo, que a torna totalmente dependente em relação ao "seu" homem. A libertação da mulher, atualmente, não consiste em livrá-la da necessidade de se empenhar no trabalho remunerado mas antes em libertá-la da necessidade de carregar sozinha, ou apenas com o auxílio de outras mulheres da família, todo o fardo do trabalho doméstico, fardo particularmente pesado quando a casa não dispõe de certas facilidades, como água encanada, aparelhos eletrodoméstico ou fácil acesso às fontes de abastecimento.

Isso significa que a libertação feminina exige não só a eliminação da carência de recursos, que afeta as famílias dos trabalhadores, mas a abolição da divisão sexual do trabalho no seio delas, de modo que homens e mulheres possam assumir *por igual* tanto a tarefa de ganhar dinheiro como a tarefa de cuidar do lar e das crianças. O movimento feminista, que está agora ressurgindo em São Paulo se dirige, portanto, contra todas as formas de opressão que rebaixam a mulher, tanto as que decorrem da estrutura capitalista de toda a sociedade quanto as que decorrem de atitudes e valores "machistas" que são com frequência assumidos também pelos homens da classe trabalhadora. É uma dura luta em duas frentes, na medida em que o movimento feminista se une aos movimentos gerais dos pobres, enquanto trabalhadores e enquanto consumidores, sem deixar de levantar, em seu seio, as reivindicações específicas das mulheres.

É assim que, atualmente, as feministas participam ativamente de oposições sindicais e movimentos grevistas, agitando ao mesmo tempo a necessidade da luta contra a discriminação da mulher no trabalho. Da mesma forma, é da iniciativa de feministas a campanha pela instalação de creches nos bairros proletários, que está mobilizando numerosas associações de moradores da periferia.

Outro movimento de reivindicações específicas é o dos negros, vítimas de discriminação racial desde os tempos da escravidão no Brasil. A luta do negro, em São Paulo, que tem uma longa história, está ressurgindo agora sob nova forma, mais política, inspirada nas vitórias dos povos africanos contra o colonialismo e o neocolonialismo e nos movimentos dos negros americanos pelos direitos civis. Assim, ao lado das organizações negras tradicionais, de caráter cultural, recreativo e religioso, forma-se hoje um movimento explícito contra a discriminação racial e que toma posição, ao lado dos demais movimentos da população trabalhadora, pelas reivindicações comuns econômicas, sociais e políticas.

O surgimento de todos esses movimentos mostra que parcelas crescentes da classe trabalhadora de São Paulo estão tomando consciência das contradições entre suas *necessidades*, como seres humanos e como grupos sociais, e as *possibilidades* de satisfação que as estruturas sociais vigentes lhe abrem. As lutas desses movimentos têm em comum o objetivo de alterar essas estruturas que travam suas possibilidades de autorrealização, sejam elas a subordinação dos sindicatos ao aparelho de Estado, o funcionamento do mercado imobiliário (que impede o acesso dos mais pobres aos serviços urbanos) ou o funcionamento do mercado de trabalho (que permite a discriminação sexual e racial no mundo do trabalho, sem que sua prática sequer possa ser comprovada de modo a poder ser denunciada e combatida).

À medida que esses movimentos se ampliam e obtêm vitórias parciais, começa a se tornar claro que em seu terreno próprio de luta – nos sindicatos, nas empresas, nos bairros – não é possível alcançar as transformações estruturais almejadas. Essas modificações só poderão ser alcançadas no plano político, na luta direta pela influência sobre o aparelho de Estado e pela conquista e mudança do próprio poder político. Em suma, os movimentos sociais da gente pobre de São Paulo (assim como os de outros lugares) implicam basicamente a luta por maior *participação*. Essa maior participação, almejada no plano econômico e no social, requer, no entanto, como condição prévia, maior participação no plano político, porque é nesse nível que as transformações de maior alcance *têm* que ser decididas.

Daí se colocar com nitidez cada vez maior o problema da representação política. É sabido que o sistema bipartidário, imposto a partir do Ato Institucional n.º 2, de 1965, restringia fortemente o direito de representação das camadas populares. Essa restrição era parte de todo um sistema de centralização do poder e de repressão contra tentativas de se opor a ele, que está sendo desmontado e reformulado de cima para baixo, a partir da própria cúspide do poder. Ora, essa autorreforma do poder, no Brasil, está sendo promovida sob pressão dos movimentos sociais que, de várias formas, *começam* agora a procurar sua manifestação apropriada no plano político.

Por imposição do regime autoritário que proibia qualquer atividade política fora dos dois únicos partidos legalmente constituídos, os movimentos sociais dos trabalhadores foram obrigados a se exprimir politicamente através do partido de oposição, o MDB. Isso contribuiu, sem dúvida, para o fortalecimento *eleitoral* desse partido. Mas o voto do trabalhador, dado em proporção cada vez maior aos candidatos e inclusive à legenda do MDB, não significava que os movimentos sociais das camadas mais pobres e exploradas tivessem ganhado um espaço correspondente no aparelho partidário. Como todo aparelho político, ele tendia a ser dominado por lideranças que resistiam em abrir mão do seu poder que, nesse caso, monopolizava um dos únicos canais de expressão política legalmente admitidos.

Mas a relativa ausência dos movimentos sociais da classe trabalhadora nos quadros partidários e nos órgãos de direção do partido oposicionista não pode ser explicada unicamente pela resistência das lideranças emedebistas mais antigas. Ela resulta também do fato de que, até muito recentemente, esses movimentos sociais ainda não tinham sentido a necessidade de atuar no plano político, inclusive porque a atuação oposicionista nesse plano estava excessivamente restrita e sujeita à "tolerância" do poder, o que lhe parecia tirar qualquer autenticidade. Não poucos se recusavam à participação no jogo político, nos termos impostos pelo regime, porque tal participação poderia ser tomada como uma legitimação dele.

Houve assim um fracasso duplo: nem os movimentos sociais conseguiram uma participação política consentânea com a mobilização já realizada (apesar da eleição, em 1978, de um pequeno número de militantes desses movimentos para a Câmara dos Deputados e para a Assembleia Legislativa de São Paulo), nem o MDB chegou a unificar esses movimentos em seu seio. Seria ilusório supor que este problema será superado pela simples transformação do bipartidarismo atual num pluripartidarismo restrito e sob controle, como o poder o pretende.

A "reforma partidária", imposta por via legislativa, levou ao fracionamento do partido oposicionista e às várias propostas partidárias, que se empenham na disputa do apoio da classe trabalhadora e naturalmente procuram atrair os movimentos sociais que dela emanam. Não deixa de ser, apesar das restrições ao exercício da soberania popular ainda vigente no Brasil, uma oportunidade histórica para que a luta cotidiana das camadas mais pobres e desprivilegiadas possa alcançar um nível mais elevado, em que as suas necessidades imediatas sejam o ponto de partida para a formulação de um programa de reivindicações fundamentais. O aproveitamento dessa oportunidade parece depender de duas condições básicas. De um lado, do caráter que tais propostas, ou ao menos uma delas, venham a adquirir, mostrando-se capazes de integrar e unificar movimentos sociais que surgiram separadamente e que têm que manter sua autonomia para continuar a levar adiante as lutas específicas que lhes dão razão de ser. Do outro lado, da evolução dos próprios movimentos sociais, que eventualmente os levará a compreender que a sua participação no jogo político, longe de ser um "desvio" de suas finalidades próprios, pode ser o único caminho para concretizá-la. É claro que se trata de uma proposição sujeita a muita controvérsia, cuja resolução dependerá da própria dinâmica dos movimentos sociais.

A dinâmica dos movimentos sociais

A história de cada um dos movimentos sociais analisados neste livro revela que eles se iniciam geralmente com a tomada de consciência das contradições existentes por parte de um pequeno grupo de pessoas. Por iniciativa desse pequeno grupo se inicia um processo de mobilização, que vai paulatinamente se ampliando, seja entre os membros de um sindicato, os moradores de um bairro, os fiéis de uma paróquia ou pessoas ideologicamente motivadas para se engajar em determinados tipos de luta.

A partir de um certo momento, quando a mobilização conseguiu reunir um número suficiente de interessados, o movimento formula suas reivindicações. Estas emanam, sem dúvida, das necessidades sentidas pela categoria social em movimento, mas são formuladas em termos de um discurso ideológico, que é o patrimônio comum do grupo que tomou a iniciativa e, geralmente, retém a liderança do movimento. Assim, por exemplo, não há dúvida de que os assalariados têm necessidade de salários maiores e maior controle sobre suas condições de trabalho, inclusive de acesso e de permanência no emprego, pelas razões já expostas. Mas o fato de suas reivindicações se dirigirem, no momento, diretamente ao patronato do qual exigem negociações livres e diretas, *sem* interferência do Estado, corresponde a toda uma experiência histórica do movimento operário brasileiro e particularmente paulista, que se reflete numa certa ideologia. Essa ideologia, que contradiz a tradição populista, predominante até 1964 pelo menos, é o que distingue a liderança sindical "autêntica", particularmente dos metalúrgicos de São Bernardo, e ajuda a entender sua estratégia de luta.

Do mesmo modo, a ideologia da ajuda mútua e da recusa da barganha política de concessões materiais em troca do voto, que hoje domina o novo movimento dos bairros, emana das CEBs, cuja concepção do mundo tende a se opor a compromissos com as estruturas políticas vigentes. Tal ideologia confere aos movimentos personalidade própria e facilita seu engajamento em ações comuns, ao mesmo tempo que mantém a liderança nas mãos dos que partilham dessa ideologia, aplicam-na a situações concretas e a difundem.

Uma vez formuladas as reivindicações, as lutas se desdobram, o número de pessoas que nelas participam cresce, até que vitórias – em geral parciais – são conquistadas. Foi significativa, por exemplo, a vitória do movimento sindical, em 1978, ao conseguir que fosse consideravelmente reduzida a repressão ao direito de greve. Foi significativo também que o movimento contra os loteamentos clandestinos tenha conseguido regularizar a situação quanto à propriedade do solo de algumas comunidades, como resultado de pressões de massa, confirmando assim a efetividade de sua tática. Os demais movimentos, em sua fase atual, têm como principais vitórias a consignar, por enquanto, a continuidade de suas existências, apesar da repressão desencadeada contra eles.

Sendo a abertura política, no Brasil, muito recente, é natural que os movimentos sociais da população trabalhadora de São Paulo estejam ainda em seus estágios iniciais. Mas quase todos eles tiveram histórias pretéritas de ascensão, conquista de vitórias e decadência, seja através de sua institucionalização, seja por obra da repressão. A análise dessas histórias, feita em outros capítulos deste volume, permite delinear possíveis perspectivas desses movimentos em sua fase atual.

A perspectiva de institucionalização se coloca à medida que a mobilização realizada por cada movimento lhe confere peso político eleitoral, o que leva os partidos no poder a tentar cooptar sua liderança, mediante concessões mínimas no plano socioeconômico e político. Neste sentido, é instrutivo recordar o ocorrido durante o período democrático, entre 1945 e 1964, com o movimento sindical, por exemplo. Em 1946, o governo desencadeou forte repressão contra o movimento operário, promovendo intervenção em vasto número de sindicatos e anulando, na prática, o então recém-conquistado direito de greve. Essa repressão foi mantida até 1951, quando assumiu a presidência Getúlio Vargas, eleito no ano anterior pelo voto de protesto das massas trabalhadoras das cidades. O novo governo manteve ainda por algum tempo as intervenções nos sindicatos, mas o movimento das oposições sindicais cresceu e chegou a conquistar a direção de vários sindicatos importantes; greves voltaram a ser feitas, as quais, graças à menor repressão, tenderam a ser vitoriosas.

Tudo isso culminou, em 1953, na grande greve dos metalúrgicos, tecelões, gráficos e vidreiros, que paralisou o parque fabril de São Paulo durante quase um mês. Depois dessa greve vitoriosa a maioria dos sindicatos passou a ser dirigida por lideranças democraticamente eleitas, e muitos órgãos de classe passaram a desenvolver todo tipo de lutas em defesa dos interesses dos seus filiados, sendo a greve a principal arma empregada nessas lutas. O movimento alcançou diversas vitórias, desde reajustamentos salariais periódicos, proporcionais ao aumento do custo de vida, até o 13º salário e a participação operária na direção dos órgãos de previdência social.

Na medida em que os governos passaram a depender do voto popular, sobretudo do voto das massas urbanas, vários partidos políticos passaram a cortejar as novas lideranças sindicais, e um certo número de seus membros chegou a ser eleito para os legislativos federal e dos estados. As lideranças sindicais passaram a se coordenar nos planos estaduais e finalmente nacional, empenhando-se na luta pela posse de João Goulart na presidência da República, em 1961, e prestando certo apoio ao seu governo, até sua deposição em 1964. O que interessa aqui é mostrar que, à medida que o movimento operário ampliava sua mobilização, sua liderança era levada a se entrosar com as forças da situação, em troca de concessões, em sua maioria verbais – apoio às "reformas de base" – sem que a política econômica posta em prática viesse de fato beneficiar a maioria dos assalariados. É sabido que, de 1961 em diante, os salários reais se deterioraram devido à aceleração do processo inflacionário, e a renda se concentrou mais, em detrimento dos trabalhadores menos qualificados.

É óbvio que a decadência do movimento operário, a partir de 1964, foi devida à brutal repressão desencadeada contra ele pelo governo militar. Mas não se pode deixar de reconhecer que, mesmo antes do golpe, o movimento operário se encontrava num impasse, pois apesar de sua influência política ele se mostrou incapaz de formular um projeto para o país que contivesse soluções consistentes para as contradições que afetavam os trabalhadores.

O atual movimento operário é, de certa forma, herdeiro tanto dos acertos como dos erros da fase anterior. O mesmo se dá com o atual movimento dos bairros, que encontrou a maioria das antigas Sociedades de Amigos de Bairros (SABs) inteiramente dominadas por políticos ligados ao partido governamental, embora tais entidades também tivessem em sua origem uma história de militância que houvesse suscitado amplas lutas populares. O mesmo ainda pode ser dito em relação ao movimento feminista, que, em sua fase anterior, alcançou uma vitória decisiva, qual seja a conquista do direito da mulher de votar e ser votada.

Em muitos desses casos, o êxito imediato dos movimentos, ou seja, a ampla mobilização das bases acarretou o seu "reconhecimento" pelo Estado, o que permitiu algumas vitórias concretas, mas ao mesmo tempo ocasionou o atrelamento desses movimentos ou de partes de suas lideranças ao governo ou a partidos em que predominava a representação dos interesses das classes dominantes. É importante considerar que mesmo uma vitória tão importante quanto a conquista dos direitos políticos pela mulher não impediu que elas continuassem sendo discriminadas no trabalho e oprimidas no seio de suas famílias. Do mesmo modo, a aprovação da Lei Afonso Arinos contra a discriminação racial muito pouco contribuiu para que a sua prática entre nós fosse coibida.

O fundamental é que os movimentos sociais da população trabalhadora não conseguiram aproveitar as oportunidades oferecidas pelo regime democrático eleitoral, que prevaleceu, com altos e baixos, entre 1945 e 1964, para estabelecer uma representação própria e fiel aos interesses de classe de suas bases, no plano político. Agora que a perspectiva de redemocratização mais uma vez se reabre no país, a mesma problemática ressurge. Trata-se, em última análise, de compreender que, numa economia capitalista, há possibilidades de conquistar direitos formais e melhorias para os pobres e discriminados, mas esses direitos e melhorias se mostram efêmeros mediante as tendências à concentração do poder e da riqueza inerentes a esse tipo de economia. Há hoje um vasto acervo, tanto no Brasil como em outros países, de tentativas fracassadas no sentido de tornar o capitalismo economicamente mais igualitário e socialmente mais justo. Conclui-se, pois, que movimentos que lutam por estes objetivos precisam examinar sua própria história e, a partir dessa experiência e da experiência histórica geral, procurar verificar se seus fins últimos são alcançáveis nos limites do capitalismo.

Mais ainda, é preciso reconhecer que uma retórica anticapitalista pouco se resolve, se ela não for expressão de uma prática consequente. Não é incomum que a ideologia que inspira movimentos sociais contenha anseios de igualdade e liberdade somente realizáveis numa sociedade socialista. Mas tais anseios, em geral, não se traduzem em demandas imediatas. Cria-se assim a comum clivagem entre objetivos próximos e fins últimos. Supõe-se, em geral, que os fins últimos só são realizáveis a partir de uma "tomada de poder" que permita a eliminação rápida e total de todas as estruturas de exploração e de dominação. Como essa tomada de poder é um objetivo a longo prazo, ela é utilizada para justificar uma prática de barganha de apoio político por concessões imediatas e que tendem, como foi visto, a ter quase só um valor simbólico. Enquanto a luta pelo poder se coloca num futuro ainda distante, a política praticada no dia a dia acaba reforçando a estrutura de poder existente, ao incluir nela membros das lideranças dos movimentos sociais das classes subalternas, sem que a situação dos que constituem a base desses movimentos melhore significativamente.

Não tem sentido supor fatalisticamente que a história sempre se repete, mas para que isso não ocorra é preciso um esforço deliberado para mudar o desfecho. Trata-se, no caso, menos de reformular toda a teoria do que de aproximar a prática dos princípios teóricos. Se o sentido dos movimentos sociais da classe trabalhadora é aumentar sua participação na renda e no poder de decisão tanto econômico (nas empresas, repartições etc.) como social (nas escolas, nas igrejas etc.) e político, é fundamental que essa participação se dê, em primeiro lugar, *nos próprios movimentos*. A exclusão dos trabalhadores dos centros de decisão não decorre apenas de obstáculos estruturais externos; ela se dá também, e primordialmente por causa da falta de preparação do trabalhador, pelo fato de, desde a escola, ele ser treinado a obedecer a ordens, cujo sentido não lhe é dado entender, e a não participar das decisões que afetam sua vida. A hegemonia burguesa é garantida no capitalismo não só pela violência organizada do Estado mas pelo contínuo condicionamento da maioria do povo a permanecer passiva e a esperar que "os de cima" resolvam seus problemas. Quebrar esta hegemonia requer, antes de mais nada, desfazer este condicionamento, capacitando os trabalhadores a intervir ativamente nas decisões que os afetem. Isso pressupõe um processo de sistemática reeducação dos trabalhadores, que só pode ser levado a efeito nos movimentos sociais, que se originam das contradições entre as necessidades da classe operária e a ordem social vigente.

Cada vez que trabalhadores fazem greve, cada vez que mães de famílias operárias ocupam um escritório da prefeitura, cada vez que uma demonstração de massas interrompe o trânsito, a hegemonia da classe dominante é posta em questão e membros da classe dominada tentam tomar seu próprio destino nas mãos. É este o sentido mais profundo dos movimentos sociais das chamadas "classes subordinadas": a recusa à subordinação. Mas, quando a distância entre cúpula dirigente e bases se alonga, quando as decisões quanto à linha de ação são tomadas pelos dirigentes e depois "baixadas" às bases, quando estas são educadas a alimentar fé cega nas direções, ao mesmo tempo que as inevitáveis divergências entre dirigentes são resolvidas "entre quatro paredes", sem que as bases tomem conhecimento e tenha a palavra final sobre elas, essa mesma subordinação, que é recusada no plano social mais amplo, é reproduzida no próprio movimento de insubordinação.

Esse tipo de prática é tradicional nos movimentos sociais da população trabalhadora e encontra sua justificação na necessidade de poupar tempo "perdido" em debates e de preservar a unidade do movimento, tendo em vista fortalecê-lo sempre mais, até a "tomada do poder". São práticas assim autoritárias que dão aos dirigentes o poder de falar e negociar em nome das bases, facilitando a sua cooptação pelos que se encontram na cúpula do poder estatal. O impasse dos movimentos sociais de antes de 1964 se explica, em boa parte, assim. Predominava então uma concepção militar da luta política, segundo a qual às tropas das classes dominantes se opunha o exército do povo, cuja vitória final dependia de sua unidade, de sua disciplina e da sua coesão ao redor da direção. Enquanto a vitória final não estava à vista, essa unidade, essa disciplina e essa coesão serviam às direções para negociar com o "inimigo", em geral concluindo alianças com setores das classes dominantes e assim se integrando, aos poucos, na estrutura de poder.

Não há, obviamente, receitas que "vacinem" os movimentos sociais contra esses perigos. É encorajador verificar que em sua prática atual em São Paulo há um nítido esforço para se evitar as múltiplas formas de autoritarismo. Neste sentido, as CEBs sustentam propostas mais avançadas: que os "ministérios" sejam exercidos em rodízio pelos participantes e que se procure evitar a distinção entre cúpula e base. Também nos movimentos de bairros, diretamente inspirados pelas CEBs, pode-se notar a preocupação de abrir o processo decisório às bases, insistindo-se numa prática que eduque os membros a assumir diretamente as decisões. No que se refere ao movimento sindical, a polêmica que hoje se trava ao redor da representação dos trabalhadores nas empresas – mediante "comissão de fábrica" ou "delegado sindical" – toca de perto no problema. Trata-se de dar ao trabalhador uma participação direta nas decisões sobre o que reivindicar e negociar com o patrão – participação esta que poderá ser transformada em seu oposto se o delegado sindical for nomeado pela direção do sindicato para, no fundo, controlar as bases na fábrica e levá-las a respeitar os acordos celebrados entre os sindicatos de empregados e empregadores.

Seria importante, por outro lado, que os movimentos sociais, além de formular reivindicações imediatas, se preocupassem em definir também "programas máximos", ou seja, o elenco de medidas econômicas, sociais e políticas que teriam que ser adotadas para que houvesse plena satisfação de suas demandas. Esse tipo de preocupação é importante para alargar as perspectivas desses movimentos, de modo a ultrapassar o imediatismo das reivindicações que visam primordialmente a aliviar situações prementes de penúria. Se essa discussão fosse levada às bases, ela permitiria sua conscientização a respeito do caráter inevitavelmente limitado das concessões obtidas em comparação com o seu eventual preço político. Sem essa conscientização das bases, há sempre a possibilidade de que elas venham a se desinteressar da luta tão logo algumas vitórias parciais sejam conquistadas.

A título de exemplo, o movimento operário sindical enfrenta, no momento, dura luta pelos direitos básicos de greve, de autonomia sindical, de livre e direta negociação coletiva de salários e condições de trabalho com os patrões, de representação dos trabalhadores em nível das empresas. É, na maior parte dos casos, uma agenda ampla e aparentemente difícil de realizar, mas no fundo, não se trata de mais do que *recuperar* direitos já usufruídos pelo movimento operário brasileiro, entre 1953 e 1964. Na marcha de uma eventual redemocratização, a recuperação desses direitos poderia reproduzir o impasse em que se encontrava o movimento operário às vésperas do golpe militar, a menos que ele esteja munido de um programa de mais longo alcance – que poderia incluir desde a constituição de uma ou mais centrais sindicais até a instituição de um efetivo controle operário da produção. Com um programa desses, será mais difícil enquadrar politicamente as novas lideranças sindicais, com poucas e restritas concessões à massa operária.

O mesmo, naturalmente, é válido para os demais movimentos sociais, cuja finalidade básica é, na verdade, eliminar as contradições que lhes dão origem. A adesão desses movimentos a algum agrupamento político, que ocupa o poder ou o almeja, só tem sentido se desenvolver uma prática que, de fato, leva à eliminação dessas contradições, o que implica a luta consequente por uma sociedade sem classes.

Não se trata, portanto, apenas de encontrar um "espaço político" em que os movimentos sociais da população trabalhadora possam se representar. Para que esses movimentos possam cumprir sua finalidade, eles terão que, mais cedo ou mais tarde, suscitar a formação de partidos, que tenham como programa e como prática tanto a preparação dos trabalhadores e grupos oprimidos para efetivamente participarem do poder quanto a destruição de todas as barreiras que se opõem a essa participação.

A economia interna dos movimentos sociais

Os movimentos sociais da população trabalhadora são iniciados, em geral, por grupos limitados de pessoas, ideologicamente motivadas a se empenhar na defesa ativa dos interesses dessa população. A esse respeito, há que distinguir entre "movimentos" institucionalizados pelo Estado (como partidos e sindicatos) e movimentos espontâneos (como os de bairro ou de grupos discriminados). Como se viu, na análise de partidos e sindicatos, a participação dos trabalhadores nessas entidades é sumamente restrita. Na realidade, esses organismos não constituem movimentos sociais em si mesmos, podendo, porém, ser terrenos de atuação de movimentos que visem precisamente ampliar neles a participação da classe trabalhadora. Constituem, portanto, movimentos voluntários da população trabalhadora – que são objetos de estudo – as oposições sindicais, as lideranças sindicais "autênticas" e os diversos grupos geralmente ligados aos movimentos de periferia, que procuraram conquistar espaço no seio do partido oficial de oposição.

Constitui um traço comum de muitos desses movimentos a distinção entre "organizadores" e os que formam suas bases. Estas provêm do grupo social cujos interesses são defendidos pelo movimento. Tais interesses não são atendidos pela estrutura socioeconômica vigente, o que dá lugar à contradição que motiva o movimento. A contradição preexiste ao movimento, muitas vezes por longo tempo. O movimento não surge espontaneamente, tão logo a contradição se manifesta. Nem surge quando, eventualmente, a contradição se agudiza, embora esse fato torne mais favoráveis as condições objetivas para sua aparição e desenvolvimento. Um movimento social das classes exploradas é sempre resultado de um esforço deliberado, de uma "iniciativa", que é tomada por pessoas, pertencentes ou não a essas classes, geralmente motivadas não apenas pela contradição específica mas por *ideologias*. São pessoas que têm uma concepção de vida, religiosa ou laica, que as leva a rejeitar uma ordem social que se caracteriza por fortes desigualdades tanto no exercício do poder quanto no usufruto dos resultados da produção social.

Não importa aqui discutir de que modo essas pessoas adquirem concepções de vida que as motivam a se empenhar em lutas sociais. O fato é que o fazem e são elas que "organizam" os movimentos sociais da população trabalhadora. Convém notar que quase nunca há um vínculo orgânico entre os propósitos específicos de cada movimento social e os que tomam a iniciativa de sua organização. Essa vinculação é, o mais das vezes, circunstancial: o lugar de residência, a relação de emprego ou o exercício profissional pode criá-la. Isso não quer dizer que essas circunstâncias sejam fortuitas. Quem se empenha em organizar uma oposição sindical o fará, naturalmente, no sindicato ao qual está filiado, em função do emprego que tenha. Quem participa da organização de um movimento de bairro em geral mora nele. O mesmo vale para Comunidades de Base. São mulheres que organizam movimentos feministas e negros os que organizam movimentos contra a discriminação racial. O que interessa, no entanto, é que as pessoas ideologicamente motivadas tanto podem estar num tipo de movimento como em outro. E não é raro que as mesmas pessoas sejam organizadoras de mais de um. Membros de CEBs organizam movimentos de periferia e oposições sindicais. Organizadoras feministas comumente militam em sindicatos, empenhando-se na realização de Congressos de Mulheres Metalúrgicas, Químicas etc. E sindicalistas atualmente estão empenhados na organização de um partido político.

Essa disponibilidade geral dos organizadores os distingue nitidamente da base, que é motivada pela contradição específica. Os participantes de base, em geral, não têm uma concepção de vida bem articulada. Suas condições de vida são difíceis, e eles têm urgente necessidade de melhorá-las. Sua participação é, neste sentido, condicionada ao êxito ou ao fracasso do movimento. É comum que tanto um quanto o outro ocasione um afastamento das bases. O êxito na conquista de reivindicações materiais reduz a motivação dos membros da base, alguns dos quais, a seguir, tendem a se recolher, satisfeitos às suas vidas privadas. O fracasso, acompanhado muitas vezes por repressão, tende a desanimar as bases, levando-as às convicções de que nada pode ser feito, a partir do seu próprio esforço, para mudar a situação em que se encontram.

Uma característica que distingue organizadores e bases é a motivação. Além de terem ideologia, os organizadores tendem a se realizar, como indivíduos e como grupo, mediante sua participação nos movimentos, que se tornam para eles, ao menos psicologicamente, fins em si mesmos. Como diz Janice Perlman, "para os organizadores de grupos de ação direta, o próprio processo de organização é quase uma forma de vício". E mais adiante: "A gratificação do ego, o sentimento de poder e a sensação de 'mover as massas' e de realização são recompensas em si".[2] Essas são observações dos movimentos sociais americanos que, sem dúvida, se aplicam também em grande medida aos movimentos sociais que têm lugar entre nós.

É inegável que, idealmente, se pretende, em todos os movimentos sociais, que a motivação dos organizadores se transmita às bases. Há, às vezes, esforços educacionais específicos com esse objetivo. Mas, na maior parte dos casos, a distinção se mantém. A transmissão ideológica atinge um limitado número de membros que, em consequência, ascendem da base para posições de liderança secundária ou (menos frequentemente) principal do movimento, passando a integrar o grupo dos organizadores. Mas o restante das bases tende a ficar como estava: motivada apenas e fundamentalmente pelas suas necessidades imediatas, guardando somente vestígios das noções ideológicas apreendidas e que aparecem ocasionalmente em seu linguajar, participando de fato de forma essencialmente passiva das decisões etc.

A manutenção de barreiras entre organizadores e bases nem sempre é intencional e se deve a fatores tanto objetivos como subjetivos. Entre os fatores objetivos é preciso ressaltar as condições materiais de vida que impedem os trabalhadores de se dedicar a atividades de estudo e debate, indispensáveis à aquisição de conhecimentos básicos

[2] PERLMAN, J. Grassrooting the System. *Social Policy*, New York, 1976.

para formar uma concepção de vida. A baixa escolaridade, as longas horas gastas no trabalho e na condução e que não deixam tempo nem energia para outras atividades são óbices materiais de difícil superação. A estes é preciso acrescentar atitudes, tanto de organizadores como das bases, de *aceitação* do fato de que "alguns" se interessam mais pelos aspectos teóricos gerais e por isso "naturalmente" são chamados a desempenhar tarefas intelectuais, ao passo que os demais são práticos e por isso lhes cabem as numerosas e extenuantes tarefas materiais. Esse tipo de atitude leva muitos a desdenhar as atividades de estudo e debate, que se propõem levar às bases a compreensão dos objetivos mais gerais do movimento, e a valorizar as ações "concretas" como sendo as únicas capazes de produzir resultados.

Na sociedade atual, a divisão entre trabalho manual e trabalho intelectual e a consequente divisão hierárquica entre os que tomam decisões e os que se limitam a executá-las está na base da organização das empresas e da maioria das instituições (escolas, igrejas, associações etc.). A essa divisão também não escapam os movimentos sociais da classe trabalhadora. Os que desempenham trabalho intelectual "fora" dos movimentos, estando treinados e motivados para esse tipo de tarefas – professores, padres, jornalistas, estudantes etc. – tendem a ser organizadores de movimentos e continuar, dentro deles, monopolizando sua direção. Os que "lá fora" fazem trabalho manual tendem naturalmente a se dedicar às tarefas práticas: colar cartazes, distribuir panfletos, colher assinaturas, recolher contribuições etc. Desta maneira, os movimentos sociais importam uma divisão de trabalho da sociedade inclusiva, que tende a reproduzir em seu próprio seio as desigualdades que eles teriam como propósito último eliminar.

Pode-se observar uma reação a essa distorção, que se manifesta sob forma de "basismo". A todo momento e sob qualquer pretexto, se proclama a necessidade de se "ouvir" as bases, às quais caberia sempre tomar decisões. Também é forte o preconceito contra os que pretendem participar do movimento sendo "de fora", o que pode significar ser de outra classe social, de outro grupo social, de outro sexo etc. Infelizmente, essas reações são sobretudo negativas e pouco servem para superar a distância entre cúpulas e bases. Na maioria das vezes, o "basismo" e a rejeição dos que são "de fora" são apenas armas nas lutas de facções entre os próprios organizadores. Mas o fato de esse tipo de argumento ser frequentemente efetivo mostra que existe temor, por parte dos membros de base, de serem manipulados, o que comprova, em última análise, a sua extrema dependência dos organizadores que mereçam sua confiança.

A barreira entre organizadores e bases é reforçada à medida que os movimentos sociais crescem, diversificando seus objetivos, o que torna a tomada de decisões mais complexa e mais difícil. Um movimento pequeno com objetivo único – ganhar a eleição num sindicato, canalizar um córrego, regularizar um loteamento etc. – requer um esforço intelectual limitado, dirigido geralmente à tomada de decisões táticas. Movimentos de objetivos múltiplos, quais sejam, enfrentar as contradições do mundo do trabalho (lutas salariais, estrutura sindical, representação dos trabalhadores nas empresas, condições de trabalho) ou lutar para modificar as relações sociais entre mulheres ou entre pretos e brancos, por exemplo, precisam definir objetivos estratégicos e táticos, realizar alianças, tomar posição diante de problemas gerais, o que requer discussões frequentes e cansativas e a elaboração de numerosos documentos: propostas, programas, resoluções etc. Em suma, à medida que os movimentos sociais avançam, passando a abarcar o conjunto de contradições que lhes dão origem, cresce o montante de trabalho intelectual a ser realizado, o qual recai, no entanto, sobre os ombros de um número limitado de organizadores, número esse que, pelas razões já aludidas, cresce muito menos que as suas tarefas. Em virtude disso, os organizadores tendem a ficar sobrecarregados, inclusive porque muitos deles se dedicam a mais de um movimento, o que faz com que sejam liberados de toda e qualquer tarefa prática. Como consequência, aprofunda-se a divisão de tarefas e responsabilidade entre organizadores e base.

Na medida em que os movimentos sociais avançam na definição de seus objetivos, suas proposições programáticas tendem a tocar os próprios fundamentos da sociedade capitalista, como já foi visto. Essa evolução não somente multiplica o trabalho intelectual em cada um dos movimentos, mas tende a fazer com que confluam na formulação de suas demandas mais gerais. Assim, por exemplo, há um evidente paralelismo entre a luta por autonomia e liberdade sindical e a luta pela liberdade de organização partidária, sobretudo quando esta última objetiva a legalização de partidos da classe trabalhadora. Da mesma forma, as lutas contra discriminação racial e sexual tendem naturalmente a se unificar em numerosas instâncias.

A essa confluência natural se soma a pressão "econômica" da exiguidade de quadros intelectuais para produzir uma crescente unificação os movimentos sociais no que se refere especificamente à elaboração ideológica, à difusão de ideias e à coleta, processamento e análise de dados e informações. Essas atividades são realizadas cada vez mais por órgãos *externos* aos movimentos – jornais e periódicos, centros de pesquisa, entidades religiosas e acadêmicas – que passam a constituir seus "aparelhos ideológicos". Na medida em que essa evolução tem lugar – e é fácil observá-la, em termos concretos, no Brasil de hoje – aumenta o perigo de que a distância entre organizadores e base ainda se torne maior. Esse perigo decorre, de um lado, do fato de que as proposições dos movimentos se tornam para seus membros cada vez mais abstratas, cada vez mais afastadas de sua experiência imediata e das necessidades diretamente sentidas por eles. À falta de uma real compreensão de como aquelas proposições (por exemplo, mudança de estrutura sindical, alteração de política econômica) se ligam a essas necessidades, os membros da base são levados a aceitá-las como resultado da fé e da confiança que depositam em seus dirigentes. Por outro lado, a ligação entre organizadores e bases se torna mais remota quando as decisões mais gerais são tomadas *fora* dos movimentos – em órgãos partidários ou religiosos – e a liderança secundária passa a servir de mera cadeia de transmissão de tais decisões para as bases.

É evidente o avanço dos movimentos – o crescimento de suas bases, a ampliação e diversificação de seus objetivos, a sua confluência em termos de lutas em comum e a constituição de "aparelhos ideológicos" voltados para os interesses e os movimentos da classe trabalhadora – é desejável em si mesmo. O que se está tentando apontar é o fato de que, nesse avanço, os movimentos tendem a sofrer transformações que encerram possibilidades crescentes de deturpação de si. Para minimizar essas possibilidades e assegurar a fidelidade dos movimentos não só a seus princípios, mas também aos interesses de suas bases, não basta a observância das regras democráticas formais de escolha das direções e de aprovação das diretrizes. É preciso que haja um esforço sistemático de formação ideológica das bases, de modo que a sua participação nas deliberações, em vez de ser (como é comum, infelizmente) apenas formal, seja efetiva e real.

É preciso constatar que, no passado, essas distorções eram muito mais gerais e profundas nos movimentos sociais das classes subalternas de São Paulo e do Brasil do que se pode observar hoje em dia. Pode-se verificar atualmente que, em numerosas ocasiões, as bases resistem a se deixar manobrar pelos seus organizadores, revelando um forte sentimento de autonomia que se manifesta, por exemplo, nas propostas de que a questão partidária seja decidida mediante "discussão nas bases". Atitudes análogas são manifestadas no Movimento do Custo de Vida e outros inspirados pelas CEBs, assim como no movimento feminista. Essa predisposição pode ser atribuída às próprias condições de luta, enfrentadas pelos movimentos sociais no passado recente, em que a repressão ideológica constituía forte barreira a seu avanço. Por isso mesmo, a presente ampliação das liberdades democráticas está permitindo que os movimentos sociais acelerem seu avanço, o que coloca os dilemas apontados: fidelidade aos seus objetivos iniciais, em geral muito limitados e rentes ao sentir da base ou ampliação deles até chegar às raízes das contradições sociais que a afetaram; desenvolvimento da divisão em seu próprio seio entre trabalho manual e trabalho intelectual, com a transferência (explícita ou não) de partes deste último a aparelhos ideológicos externos ou esforço concentrado na elevação do nível ideológico das bases tendo em vista habilitá-las a participar também do trabalho intelectual; e, finalmente, ligar esses movimentos a alguma corrente política policlassista capaz de atender suas reivindicações imediatas ou procurar constituir formas próprias de representação no plano político. Da forma como esses dilemas forem resolvidos dependerá o futuro dos movimentos sociais da classe trabalhadora de São Paulo e de todo o país.

Trabalhar em São Paulo[1]

A concentração de riqueza e de população na Região Metropolitana de São Paulo não acarreta necessariamente melhores condições de vida para todos. A sobrevivência na cidade depende não só da proximidade de bens e serviços, que são abundantes, mas do acesso a eles, que é diferenciado segundo a disponibilidade de recursos financeiros. Para a imensa maioria dos habitantes da cidade, os rendimentos provêm do trabalho, especialmente do emprego assalariado.

Dados de 1985 revelam que 81,1% dos paulistanos que se encontravam ocupados em atividades econômicas eram empregados, 14% eram trabalhadores autônomos, 3,7% empregadores e 1,2% trabalhavam sem remuneração. As proporções variam segundo os setores de atividade, mas em todos eles predomina a relação de emprego assalariado.[2]

É importante levar em conta que as posições na ocupação podem estar combinadas. Um mesmo indivíduo pode estar empregado em uma firma e exercer atividades por conta própria. É o caso dos médicos que trabalham em hospitais e também possuem consultórios; ou de pedreiros que trabalham em empreiteiras e fazem biscates; ou dos professores que dão aulas particulares e se empregam em escolas. As estatísticas costumam estar referidas à atividade principal, aquela em que o indivíduo aufere maiores rendimentos, de forma a evitar a dupla contagem. Mas a análise deve levar em conta que as dimensões dos diversos grupos ocupacionais só podem ser conhecidas de forma aproximativa e que elas se modificam de acordo com a situação econômica do país e da região. Em função da maior ou menor oferta de empregos nos diversos setores, os indivíduos podem mudar de atividade; em função dos níveis de remuneração, podem

---

[1] Publicado originalmente em: BRANT, V. C. (Org.). *São Paulo: trabalhar e viver.* São Paulo: Brasiliense/Comissão Justiça e Paz, 1989, p. 35-69. (N. do Org.)

[2] As indicações referentes à ocupação e rendimentos baseiam-se em dados da PNAD (*Pesquisa Nacional por Amostra de Domicílios*, da Fundação IBGE).

se ver obrigados a ter mais de um emprego ou exercer atividades fora do mercado formal, de forma a complementar a renda. Assim as flutuações no nível de emprego determinam não só as condições de remuneração do trabalho assalariado, mas também o tamanho da população que se dedica a atividades paralelas. Por outro lado, como são os orçamentos domésticos ou familiares que integram os rendimentos necessários à sobrevivência, opera-se uma composição entre os membros da família que estão incorporados à força de trabalho assalariada e aqueles que trazem sua contribuição com a remuneração de atividades autônomas estabelecidas ou biscates diversos. São relativamente poucas as famílias em que os diversos membros exercem o mesmo tipo de atividade.

Condições de ocupação

O tamanho da população ocupada na Grande São Paulo em atividades remuneradas tem evoluído de forma condicionada pela conjuntura econômica.

Entre 1978 e 1979, a economia brasileira se encontra no período pós "milagre econômico", expandindo-se em ritmo moderado, mas positivo. A população ocupada cresce a 5,66% ao ano, aumentando praticamente no mesmo ritmo da ocupação formal, representada pelo número de contribuintes da previdência social, e a ocupação informal, medida pelos não contribuintes. É necessário assinalar que muitos empregados, mais de um quarto deles em 1985, não eram contribuintes por não possuírem carteira de trabalho assinada. Por outro lado, há trabalhadores autônomos e profissionais liberais que são contribuintes. Desse modo, o que se chama aqui de ocupação formal não traduz o número de empregos.

Entre 1979 e 1983, a economia cai em recessão, provocada pelas políticas de "ajuste" à crise do endividamento externo. Nesse quadriênio, a população ocupada cresce somente 2,17% ao ano e a ocupação formal quase não aumenta, registrando expansão de apenas 0,62% ao ano. Em compensação, aumenta fortemente a ocupação informal em 8,6% ao ano. A recessão ocasiona a queda do crescimento do número de empregos formais, de modo que certa parcela da população economicamente ativa (PEA) permanece desocupada, enquanto outra é obrigada a engrossar as fileiras dos não contribuintes, seja se empregando sem contrato de trabalho assinado, seja exercendo atividades autônomas.

TABELA 1 – COMPOSIÇÃO DA POPULAÇÃO OCUPADA POR RAMOS DA ATIVIDADE ECONÔMICA, SEGUNDO A POSIÇÃO NA OCUPAÇÃO REGIÃO, METROPOLITANA DE SÃO PAULO (1985)

POSIÇÃO NA OCUPAÇÃO	RAMOS DA ATIVIDADE ECONÔMICA(%)							TOTAL	
	Agricultura	Indústria (*)	Comércio	Transporte e Comunicaçnao	Serviços (**)	Social	Administração Pública	%	Absoluto
Empregados	52,0	90,7	61,8	82,2	73,5	90,5	100,0	81,1	5.241.638
. com carteira	20,5	79,1	44,8	74,1	47,1	51,9	29,4	60,0	3.873.550
. sem carteira	31,5	11,6	17,0	8,1	26,4	38,6	70,6	21,1	1.368.088
conta própria	19,4	6,2	26,5	15,8	21,7	6,2	–	14,0	905.829
Empregadores	9,6	2,7	8,3	1,7	3,8	2,4	–	3,7	236.836
Não remunerados	19,0	0,4	3,4	0,3	1,0	0,9	–	1,2	74.821
TOTAL (%)	100,0	100,0	100,0	100,0	100,0	100,0	100,0	100,0	–
TOTAL ABSOLUTO	37.783	2.492.574	898.761	294.562	1.953.557	549.315	232.572	–	6.459.124
TOTAL(%)	0,6	38,6	13,9	4,6	30,2	8,5	3,6	100,0	–

Fonte: FIBGE, *Pesquisa Nacional por Amostra de Domicílios*, 1985.
(*) Indústria de transformação, construção e outras atividades industriais.
(**) Prestação de serviços auxiliares da atividade econômica e outras atividades.

Qual teria sido o volume de pessoas marginalizadas pela recessão? Podemos estimá-lo tomando as taxas de crescimento de 1978-1979 como normais e formulando a hipótese de que, se não tivesse havido a recessão, a ocupação formal e informal na Grande São Paulo teria continuado a evoluir àquelas taxas. Nesse caso, o mercado de trabalho formal em 1983 teria ocupado 5.318,6 mil pessoas em vez de 4.358,8 mil como foi; cerca de 960 mil empregos formais deixaram então de ser criados. Em compensação o setor informal teria ocupado em 1983 apenas 1.124,7 mil pessoas em vez de 1.276 mil. Isso significa que, das 960 mil pessoas que deixaram de ter ocupações formais – quase 15% da provável população ocupada –, mais de 150 mil se refugiaram na ocupação informal, ao passo que mais de 800 mil devem ter ficado desocupadas.

Em compensação, a partir de 1984 a economia brasileira se recupera, o que acelera a expansão da ocupação na Grande São Paulo. Em 1983-86, a ocupação formal cresce 6,7% ao ano e a ocupação informal 8,54%. É surpreendente que, mesmo num período de alta conjuntural, a ocupação informal tenha crescido mais que a formal. Uma possível explicação é que, apesar da aceleração do número de contribuintes, a quantidade de vagas tenha ficado aquém do aumento da oferta da força de trabalho. Aplicando a taxa anual de 5,75% ao período 1979-1986, obtém-se um volume de quase um milhão de contribuintes em 1986 a mais do realmente existente naquele ano; em compensação, se a quantidade de não contribuintes tivesse crescido entre 1979 e 1986 a apenas 5,23% ao ano, haveria no fim daquele período 320 mil deles a menos do que a quantidade de fato encontrada. Isso levaria a concluir que, de um milhão de pessoas à procura de ocupações formais, cerca de um terço teve de se contentar com ocupações informais, e os dois terços restantes teriam ficado sem ocupação remunerada alguma.

TABELA 2 – PESSOAS OCUPADAS POR CONTRIBUIÇÃO A INSTITUTO DE PREVIDÊNCIA: TAXAS DE CRESCIMENTO ANUAL, REGIÃO METROPOLITANA DE SÃO PAULO (1978-1986) (EM%)

Período	Total	Contribuintes	Não contribuintes
1978-79	5,66	5,75	5,23
1979-83	2,17	0,62	8,60
1983-86	7,13	6,70	8,54

Fonte: FIBGE, *Pesquisa Nacional por Amostra de Domicílios*, 1978, 1979, 1983 e 1986.

TABELA 3 – COMPOSIÇÃO DA POPULAÇÃO OCUPADA POR CONTRIBUINTES PARA O INSTITUTO DE PREVIDÊNCIA, SEGUNDO OS RAMOS DA ATIVIDADE ECONÔMICA, REGIÃO METROPOLITANA DE SÃO PAULO (1985)

Ramos de atividade	CONTRIBUIÇÃO PARA PREVIDÊNCIA (%)		TOTAL	
	Contribuintes	Não contribuintes	%	Absoluto
Agricultura	33,8	66,2	100,0	37.783
Indústria	85,0	15,0	100,0	2.492.574
Comércio	65,2	34,8	100,0	898.761
Transporte e comunicação	87,0	13,0	1000,0	294.562
Serviços	52,6	47,4	100,0	1.529.646
Social	86,7	13,3	100,0	549.315
Administração pública	94,5	5,5	100,0	232.572
Outras atividades	94,0	6,0	100,0	423.911
TOTAL	75,4	24,6	100,0	6.459.124

Fonte: FIBGE, *Pesquisa Nacional por Amostra de Domicílios*, 1985.

Essa última hipótese é, no entanto, pouco provável. O crescimento menor de ocupações formais, na Grande São Paulo, deve ter provocado uma redução correspondente do fluxo migratório à metrópole, de modo que a oferta de força de trabalho de certo modo se ajustou à demanda. Essa conclusão decorre do fato de que, as taxas de participação na atividade econômica não decrescem no período sob exame, tendendo antes a aumentar.[3]

Se a população ocupada cresceu mais devagar, constituindo ao mesmo tempo uma proporção cada vez maior da população total, é porque esta última também cresceu menos. Realmente, a taxa masculina de participantes se mantém por volta de 75% entre 1978 e 1983 e atinge

---

[3] É o que revelam os dados da *Pesquisa Nacional por Amostra de Domicílios* de 1978, 1979, 1983 e 1986 que se referem à evolução daquelas taxas entre 1978 e 1986, por sexo e por anos de estudo.

76,4% em 1986, ao passo que a feminina cresce sem cessar, de 35,5% em 1978 para 36,5% no ano seguinte, para 38,2% em 1983, alcançando 42,5% em 1986. Fica claro que, tanto entre as mulheres como entre os homens, a população ocupada cresce mais do que a população total de dez anos e mais. Portanto, se em 1983-1986 a ocupação na Grande São Paulo não chega a recuperar a quantidade de vagas que a baixa conjuntural impediu que se criasse no quadriênio anterior, isso, em parte pelo menos, foi o resultado de uma desaceleração do crescimento da população em idade de trabalhar (de 10 anos e mais). Esta cresce 5% entre 1978 e 1979; a sua taxa anual de expansão cai a 3,27% em 1979-1983, subindo a 3,93% em 1983-1985. A fase de alta da economia, sobretudo em 1985 e 1986, elevou um pouco o crescimento da população da Grande São Paulo, mas sem alcançar a taxa de 1978-1979.

Escolaridade, sexo e trabalho

As taxas de participação na força de trabalho, tanto masculinas como femininas, são tanto maiores quanto maior o número de anos de estudo. Em 1978, trabalhavam 68,1% dos homens com até um ano de escolaridade, mas 85,6% dos que tinham nove anos e mais; entre as mulheres, o efeito da escolaridade sobre a participação é ainda maior: trabalhavam 27,4% das que tinham até um ano de estudo e 55,9% das que possuíam nove anos e mais.

Considerando a evolução das taxas de participação no tempo, verifica-se que, entre os homens, elas caem nos grupos com até um e de um a quatro anos de estudo e sobem nos grupos entre cinco e oito anos e com nove anos e mais de escolaridade. Neste último, a taxa de participação passou de 85,6% em 1978 a 90,3% em 1986. Entre as mulheres, as taxas de participação apenas oscilaram nos grupos com até um e entre um e quatro anos de estudo, mas aumentaram nitidamente nos grupos entre cinco e oito e com nove e mais anos de estudo. Das mulheres com nove e mais anos de escolaridade, 55,9% participaram da força de trabalho em 1978 e 67,5% em 1986.[4]

---

[4] Fonte: *Pesquisa por Amostra de Domicílio* de 1978, 1979, 1983 e 1986. Rio de Janeiro, FIBGE.

TABELA 4 – TAXAS DE PARTICIPAÇÃO NA FORÇA DE TRABALHO[*]
POR ANOS DE ESTUDO E SEXO, REGIÃO METROPOLITANA
DE SÃO PAULO (1978, 1979, 1983 E 1986)

ANOS DE ESTUDO	HOMENS				MULHERES			
	1978	1979	1983	1986	1978	1979	1983	1986
menos de 1	68,1	63,3	64,9	62,1	27,4	23,1	25,0	27,0
1 a 4	72,1	72,6	69,7	68,6	30,5	31,4	30,9	32,9
5 a 8	76,1	77,4	77,4	80,1	36,3	38,4	39,3	44,1
9 e mais	85,6	87,5	88,7	90,3	55,9	58,7	62,9	67,5
TOTAL	75,2	75,7	75,3	76,4	35,5	36,5	38,2	42,5

Fonte: FIBGE, *Pesquisa Nacional por Amostra de Domicílios*, 1978, 1979, 1983 e 1986. (*) das pessoas de 10 anos e mais.

Essa evolução reflete a crescente escolaridade da população e a consequente exigência, por parte dos empregadores, de credenciais escolares cada vez mais altas dos candidatos a empregos.[5] Resulta daí que as pessoas com pouca ou nenhuma educação formal tendem a ser expulsas do mercado de trabalho, enquanto graus intermediários perdem valor diante do aumento da oferta de força de trabalho com escolaridade mais alta. Como as mulheres têm escolaridade semelhante à dos homens, as que dispõem de diplomas têm vantagens crescentes na disputa de lugares de trabalho. Assim se explica que, em 1986, a taxa de participação das mulheres com nove e mais anos de estudo seja análoga à dos homens com um a quatro anos de escola.

Tinham nove e mais anos de estudo 18,1% dos homens em 1978, e 24,1% em 1986, entre as mulheres essas proporções foram, respectivamente, de 15,6% e 21,4%. A multiplicação de postos de trabalho para os quais se exige alta escolaridade – vagas para professoras, enfermeiras etc. – facilita a crescente entrada de mulheres na força de trabalho. Convém observar, no entanto, que, entre 1983 e 1986, as taxas de participação das mulheres com apenas até um

---

[5] Com a escolaridade cada vez maior da população, apresentam-se candidatos a empregos que são mais escolarizados, os quais superam os que têm menos anos de estudo, mesmo quando a posição não requer tanta escolaridade. Após algum tempo, a escolaridade mínima exigida para as diversas ocupações é aumentada.

ano e entre um e quatro anos de estudo aumentaram, enquanto as dos homens diminuíram. O que indica que, em postos de trabalho de pouca ou nenhuma qualificação, mulheres tendem a substituir o homem.

Em 1979, havia muito mais homens – cerca de 2,4 homens para cada mulher – entre os ocupados formais (contribuintes da previdência social) e praticamente o mesmo número de homens e mulheres entre os informais (não contribuintes). Sete anos mais tarde, a situação mudou um pouco a favor das mulheres. Em 1986, os homens continuam sendo maioria entre os ocupados formais, mas entre eles o número de homens por mulher caiu para menos de dois. Entre os ocupados informais, os homens e mulheres continuam com aproximadamente o mesmo número, tendo aumentado de cerca de um terço a proporção tanto masculina como feminina. Em 1986, estavam no setor informal 31,7% das mulheres e 18,7% dos homens ocupados contra 27% das mulheres e 13,1% dos homens em 1979. A entrada de mulheres na população ocupada contribuiu assim para o aumento da parcela de informais, mas foram os homens que, em termos relativos, recuaram de 58,2% para 50,8% entre os formais.

TABELA 5 – POPULAÇÃO OCUPADA, POR CONTRIBUIÇÃO À PREVIDÊNCIA SOCIAL POR SEXO E IDADE, REGIÃO METROPOLITANA DE SÃO PAULO (1979 E 1986) (EM % SOBRE O TOTAL)

	Contribuintes		Não contribuintes	
	1979	1986	1979	1986
Homens				
Total	58,1	50,9	8,9	11,7
10 a 19 anos	6,3	4,8	2,6	3,0
20 a 49 anos	45,0	40,1	5,0	6,9
50 e mais	6,8	5,9	1,3	1,8
Mulheres				
Total	24,1	25,7	8,9	11,9
10 a 19 anos	4,4	3,8	2,3	2,2
20 a 49 anos	18,2	20,3	5,7	8,2
50 e mais	1,5	1,6	0,9	1,5

Fonte: FIBGE, *Pesquisa Nacional por Amostra de Domicílios*, 1979 e 1986.

Idade e formas de ocupação

Encarando a evolução do prisma da idade, os jovens entre 10 e 19 anos de idade representavam proporções muito maiores em 1979, entre os informais, homens e mulheres, do que entre os ocupados formais. Em 1986, isso continua verdade, mostrando que a entrada no mercado de trabalho de jovens com pouca qualificação se faz, em grande medida, através do setor informal. Mas os grupos do setor informal que mais crescem, entre 1979 e 1986, não são os de jovens, mas os de adultos: o de mulheres de 20 a 49 anos aumenta mais de 40% (de 5,7% para 8,2%) e o de homens de 20 a 49 anos quase outro tanto (de 5% para 6,9%); o grupo de mulheres de 50 anos e mais cresce 67% (de 0,9% para 1,5%) e o de homens de mais de 50 anos quase 40% (de 1,3% para 1,8%). Em contraste, o grupo de homens de 10 a 19 anos decresce 4%. Esses dados indicam que não houve um estreitamento dos canais formais de entrada no mercado de trabalho, mas expansão de atividades informais que ocupam adultos de ambos os sexos. Em outras palavras, adultos de ambos os sexos, que têm melhores chances de se inserir no setor formal, foram nesse período (1979-1986) em maior proporção relegados ao setor informal. A proporção de não contribuintes entre os ocupados homens, de 20 anos e mais, subiu de 10,8% em 1979 para 15,9% em 1986; e entre as mulheres de 20 anos e mais, de 25,1% em 1979 para 30,6% em 1986.

É possível que uma parte dos adultos, que é incapaz de atender às crescentes exigências de escolaridade por parte dos empregadores do setor formal, se veja forçada a procurar ocupações informais, mais facilmente acessíveis aos que têm poucos anos de estudo. Tais ocupações são muitas vezes de produtores autônomos, sendo criadas pelos próprios trabalhadores ao penetrar em mercados sem barreiras. Neste caso, a expulsão de trabalhadores do setor formal seria causa suficiente para a expansão do número de ocupados no setor informal.

Grupos ocupacionais

Quando se examina a evolução da população ocupada da Grande São Paulo, entre 1976 e 1986, por grupos ocupacionais cumpre destacar as ocupações técnicas, científicas e artísticas, administrativas, que exigem em geral maior escolaridade, pagam melhor e têm mais prestígio. No período entre 1976 e 1986, as proporções nesses dois grupos ocupacionais declinam, no primeiro, desde 1976 e, no segundo, desde 1979. Em conjunto, eles absorviam 32,6% da população ocupada, em 1976, e somente 30,9%, dez anos mais tarde. Registra-se ainda queda das proporções em ocupações industriais e de transportes e comunicações que, somadas, passam de 35,4% em 1976 para 34,3% em 1986. Nesses grupos ocupacionais são relativamente mais numerosos os trabalhadores qualificados do que nas ocupações que se expandiram nesse período, ou seja, do comércio e da prestação de serviços, que, em conjunto, absorviam 16,2% da população ocupada em 1976 e 21,7% uma década depois.

TABELA 6 - GRUPOS OCUPACIONAIS, REGIÃO METROPOLITANA DE SÃO PAULO (1976, 1979, 1983 E 1986) (EM%)

Grupos ocupacionais	1976	1979	1983	1986
Técnicas, científicas, artísticas etc.	9,3	8,9	8,8	8,6
Administrativas	23,3	23,6	21,2	22,3
Ind. de Transformação e Construção Civil	30,1	30,5	29,0	29,9
Comércio e atividades auxiliares	8,0	8,4	11,3	10,9
Transportes e Comunicações	5,3	5,1	5,4	4,4
Prestação de serviços	8,2	9,4	11,7	10,8
Outras ocupações	14,7	13,1	12,1	12,5

Fonte: FIBGE, *Pesquisa Nacional por Amostra de Domicílios*, 1976, 1979, 1983 e 1986.

As modificações na estrutura ocupacional não foram grandes, mas indicam deterioração, com declínio das ocupações de melhor nível e expansão das que têm menos prestígio e pagam pior. Essa deteriorização é consistente com o aumento da proporção de trabalhadores informais, que não dispõem dos benefícios da previdência social.

Em síntese, parece ter havido, nos últimos anos, uma piora das condições de trabalho da população paulistana, que pode ter acarretado maiores dificuldade econômicas.

Rendimentos pessoais

Examinemos inicialmente a distribuição da renda pessoal por sexo, entre 1976 e 1986.[6] Entre os homens, entre 1976 e 1978, cai a parcela com dez salários mínimos, de mais 12,8% para 11,9%, e aumenta a com renda até dois salários mínimos de 32% para 33,6%, revelando declínio da renda média.

TABELA 7 – REPARTIÇÃO DA RENDA DE HOMENS E MULHERES[(*)], REGIÃO METROPOLITANA DE SÃO PAULO (1976, 1978, 1979, 1983 E 1986) (EM %)

RENDI-MENTO (SM)	HOMENS					MULHERES				
	1976	1978	1979	1983	1986	1976	1978	1979	1983	1986
Até 1/2	1,4	1,9	2,1	2,7	1,9	5,6	7,5	8,0	9,2	6,9
1/2-1	6,8	7,3	5,5	6,3	6,1	19,6	20,1	16,2	19,0	15,9
1-2	23,8	24,4	20,8	20,0	14,7	39,0	37,8	38,9	31,7	25,9
2-3	38,2 {	17,1	17,9	20,2	15,3	24,5 {	12,9	15,0	16,6	18,3
3-5		20,7	22,1	20,5	25,0		10,6	12,2	11,1	16,5
5-10	16,9	16,6	18,7	18,3	21,1	8,1	7,7	8,4	9,2	11,2
10-20(**)	8,2	11,9 {	8,2	12,0 {	10,1	2,5	3,3 {	2,6	3,2 {	4,2
Mais de 20	4,6		4,5		5,7	0,8		0,6		1,1

Fonte: FIBGE, *Pesquisa Nacional por Amostra de Domicílios*, 1976, 1978, 1979, 1983 e 1986 (*) Pessoas de 10 anos e mais, excluídos os casos sem rendimento e não declarados. (**) Para os anos 1978 e 1983, só se dispõe de dados para os rendimentos acima de 10 salários mínimos. Para os demais anos, as frequências estão desdobradas: de 10 a 20 e acima de 20 salários mínimos.

Entre 1978 e 1979, a parcela com dez salários mínimos e mais retorna a 12,7%, e aquela com até dois salários mínimos volta a cair para 28,4%; cresce também a parcela entre três e dez salários mínimos, de 37,2 para 40,8%. A recuperação em 1978-1979 supera

---

[6] Fonte: *Pesquisa Nacional por Amostra de Domicílios* de 1976, 1978, 1979, 1983 e 1986. Rio de Janeiro, FIBGE.

a perda em 1976-1978, o que é refletido pela evolução da renda mediana dos homens: 3,41 salários mínimos em 1976, 2,96 em 1978 e 3,33 em 1979.[7]

Durante esse período, os dados disponíveis mostram que a renda média dos homens subiu de 5,45 salários mínimos em 1978 para 5,63 em 1979. O fato de a renda mediana ter subido 12,5% enquanto a média aumentou somente 3,3% em 1978-1979 indica que houve alguma redistribuição progressiva de renda. A expansão maior das rendas médias em relação às rendas polares indica o mesmo. A reconquista do direito de barganha coletiva dos salários, a partir da greve dos braços cruzados da Scania Vabis, em maio de 1978, deve ter sido o principal fator responsável por essa redistribuição de renda. Em 1978 e 1979, uma vasta onda de greves ocorreu no país e os acordos tenderam geralmente a proporcionar aumentos maiores a quem ganhava menos. Em fins de 1979, a política salarial foi mudada, incluindo-se o ajustamento semestral, o qual passou a ser de 110% do aumento do Índice de Preços ao Consumido (IPC) para os assalariados que ganhavam até três salários mínimos.

Em 1979 e 1983, o Brasil caiu na pior recessão de sua história contemporânea, sendo seu impacto particularmente forte na Grande São Paulo. Nesse período, entre os homens, aumenta a proporção com rendimento até três salários mínimos de 46,3% para 49,2%. Foram particularmente fortes as alterações nas pontas de distribuição: a proporção com renda até um salário mínimo subiu de 7,6 para 9% e a com renda de mais de dez salários mínimos caiu de 12,7% para 12%.

Finalmente, entre 1983 e 1986, a renda dos homens se recupera, superando as perdas do quadriênio anterior: a proporção com rendimentos até três salários mínimos volta a cair a 38% (muito abaixo

---

[7] A mediana de 1976 está superestimada porque não se dispõe das parcelas com 2 a 3 e 3 a 5 salários mínimos separadamente, de modo que se teve de supor que a distribuição na classe de 2 a 5 salários mínimos fosse linear, o que implica que 12,7% (1/3) tivessem de 2 a 3 e 25,5% (2/3) de 3 a 5 salários mínimos quando os dados desagregados de 1978 e 1979 indicam que as parcelas corretas para 1976 devem ser 16,5-17% com 2 a 3 salários mínimos e 21,2-21,7% com 3 a 5; de acordo com esses dados mais prováveis, a mediana de 1976 estaria entre 3,05 e 3,07 salários mínimos.

dos 46,3% em 1979) e a com rendimentos superiores volta a subir a 61,9% (muito acima dos 53,5% em 1979). Particularmente grandes foram as quedas da proporção dos que ganhavam de um a três salários mínimos (de 40,2% para 30%) e o aumento da parcela com ganhos de mais de dez (de 12% para 15,8%).

A evolução nos dois últimos subperíodos pode ser sintetizada pelo exame da renda mediana, que cai de 3,33 em 1979 para 3,08 salários mínimos em 1983 e sobe a 3,95 em 1986. A renda média passa de 5,63 salários mínimos em 1979 para 6,97 em 1986. Entre 1979 e 1986, a renda média sobe 23,8% e a mediana 18,6%, indicando que entre essas duas datas a distribuição da renda dos homens quase não foi modificada.

Salários e custo de vida

Todos esses cálculos foram feitos usando-se como unidade de medida o salário mínimo, sem considerar a variação do seu poder de compra. Para avaliar a evolução da renda nesse período, é preciso considerar portanto a variação do valor do próprio salário mínimo. Deflacionando o salário mínimo pelo IPC amplo da FIBGE, mês a mês, verifica-se que ele perde poder de compra: 8,3% entre 1979 e 1983 e outros 5,8% entre 1983 e 1986.[8] O que significa que a perda da renda real, ocasionada pela recessão, em 1979-1983, foi maior do que indicam os dados sobre a repartição da renda e que a recuperação da renda, em 1983-1986, foi menor do que mostram os mesmos dados.[9]

---

[8] Fonte: *Conjuntura econômica*. Rio de Janeiro, FGV. 42 (2), fev. 1988 e *Anuário estatístico do Brasil*, 1986. Rio de Janeiro, 1987.

[9] Como a distribuição de renda é construída, nas publicações da FIBGE, a partir dos resultados das PNADs, em classes delimitadas por múltiplos e submúltiplos do salário mínimo, é possível apenas constatar a direção das distorções que a desvalorização do salário mínimo acarreta, não se podendo eliminá-las, a não ser no caso dos valores médios e medianos. Antes de fazê-lo, convém registrar que a inexistência de dados do IPC Amplo antes de 1979 não permite aplicar a metodologia usada nessa análise aos anos anteriores.

GRÁFICO 1 – VALOR REAL DO SALÁRIO MÍNIMO
Brasil, 1979-1988*

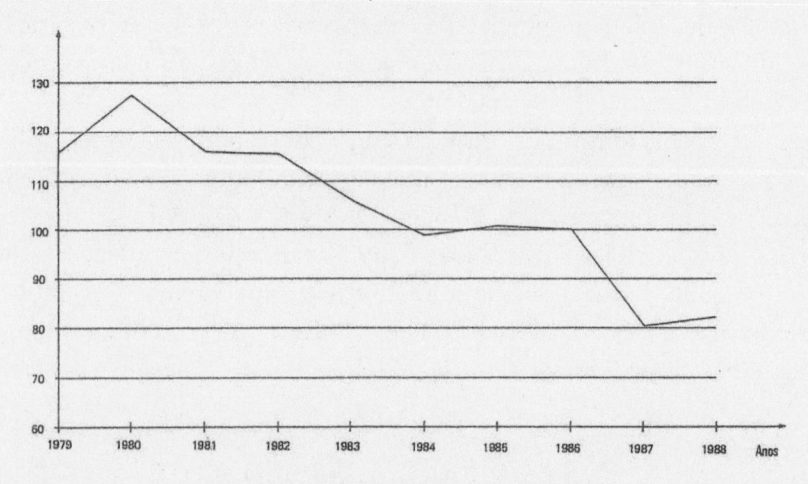

Fonte: FIBGE, *Anuário Estatístico do Brasil*, 1986; FGV. Conjuntura Econômica, fev. 1989.
1989* = 100

Em relação ao custo de vida, medido pela Fipe/USP, na Grande São Paulo, o poder de compra do salário mínimo não variou significativamente entre 1976 e 1979. Assim sendo, em termos de poder de compra constante, a renda média dos homens sobe, entre 1979 e 1986, apenas 7%. A renda mediana cai entre 1979 e 1983 em termos nominais 7,5%, e em termos reais 15,3%, subindo em 1983-1986, em termos nominais 28,2% mas em termos reais apenas 20,9%; entre 1979 e 1986, a renda mediana real dos homens cresce somente 2,4% (e não 18,6%). Portanto, em 1986, a renda média real dos homens superava em 7% a de 1979, ao passo que a renda mediana real quase não tinha mudado. Isso indica que o aumento real da renda deve ter beneficiado quase exclusivamente a metade mais rica dos homens, pois a renda-limite máxima da metade mais pobre quase não cresceu.

No que se refere à renda das mulheres, é preciso constatar que são muito maiores do que entre os homens as proporções nas classes de renda baixa. Basta dizer que, em 1976, a classe mais numerosa entre as mulheres é a de um a dois salários mínimos, com 39%; nesse mesmo ano, a classe mais numerosa entre os homens é a de dois a cinco salários mínimos, com 38,2%. Nas classes de renda alta se dá o contrário: com mais de dez salários mínimos, em 1976, havia somente 3,3% das mulheres, diante de 12,8% dos homens.

Entre 1976 e 1978, aumenta a parcela de mulheres com renda de até um salário mínimo, de 25,2% para 27,6% e cai a com renda de um a dez, de 71,6% para 69%, permanecendo igual à com dez e mais. Há, portanto, como entre os homens, um declínio de renda.

Entre 1978 e 1979, cai a proporção das mulheres com renda até dois salários mínimos, de 65,4% para 61,1%, e sobe a das com dois a dez de 31,2% para 35,6%; continua quase constante a parcela com mais de dez. Verifica-se assim o mesmo movimento pendular que já registramos para os homens e que pode ser sintetizado pela evolução da mediana. Entre as mulheres, a renda mediana foi de 1,63 salário mínimo em 1976 caindo para 1,59 em 1978 e subindo para 1,7 em 1979. Tanto a queda como a recuperação são modestas.

TABELA 8 – RENDA MÉDIA E MEDIANA, POR SEXO[*] REGIÃO METROPOLITANA DE SÃO PAULO (1979, 1983 E 1986)

	HOMENS				MULHERES			
	Mediana		Média		Mediana		Média	
ANOS	SM		SM		SM		SM	
1979	3,33	100,0	5,63	100,0	1,70	100,0	2,65	100,0
1983	2,82	84,7			1,55	91,2		
1986	3,41	102,4	6,02	107,0	1,79	105,2	2,92	110,5

Fonte: FIBGE, *Pesquisa Nacional por Amostra de Domicílios*, 1979, 1983 e 1986.
FIBGE, *Índice de Preços ao Consumidor Amplo*.
(*) Em salários mínimos de 1979

No período de 1979 e 1983, marcado pela recessão, não se verifica uma queda nítida da renda das mulheres. A proporção delas com renda até um salário mínimo aumenta de 24,2% para 28,2%, caindo a daquelas com um a dois de 36,9% para 31,7%, o que indica dentro das 60% mais pobres a queda de 4% abaixo do nível de um salário mínimo. Mas, acima de dois salários mínimos, não há mais coerência: a proporção com dois a três cresce, a com três a cinco decresce, a com cinco a dez cresce; e, como de costume, a classe com mais de dez salários mínimos se mantém. A renda mediana das mulheres passa de 1,7 salário mínimo em 1979 para 1,69 em 1983, praticamente não se alterando. Mas, como o poder de compra do salário mínimo diminuiu 8,3% entre 1979 e 1983, conclui-se que a renda mediana real das mulheres decresceu 8,8% nesse período (bem menos do que os 15,3% perdidos pela dos homens).

Entre 1983 e 1986, a proporção de mulheres com renda até dois salários mínimos cai de 59,9% para 48,7%. Particularmente grande foi a expansão da parcela de mulheres com mais de dez salários mínimos, que se manteve em 3,2% até 1983 e atingiu 5,3% em 1986. A renda mediana das mulheres passou de 1,69 salário mínimo em 1983 a 2,07 em 1986, registrando um aumento nominal de 22,5% mas de somente 15,4% em termos reais. O aumento real da renda mediana das mulheres entre 1979 e 1986 foi de 5,2%. Finalmente, a renda média das mulheres no mesmo período cresce 10,5%. O aumento maior da média que da mediana indica que o crescimento da renda beneficiou mais a metade mais rica das mulheres. Comparando-se os dados de 1979 e 1986, verifica-se que a principal mudança é a redução da parcela com um a dois salários mínimos (de 36,9% para 25,9%). Portanto 11% das mulheres subiram para classes de renda mais alta. A proporção com mais de cinco salários mínimos passou de 11,6% para 16,5%, absorvendo quase a metade do grupo que ascendeu.

Os dados sobre a evolução no tempo da renda dos homens e mulheres mostram que ela foi semelhante nos dois casos: pequeno crescimento em 1976-1979, queda no período recessivo de 1979-1983 e recuperação em 1983-1986. Mas, a renda das mulheres declinou menos e cresceu mais do que a dos homens, reduzindo-se o desnível entre ambas. Em 1978, a renda média dos homens era 111,2% maior que a das mulheres; em 1986, ela era 105,6% maior, registrando-se pequena redução na diferença.

Quando se examina a evolução da renda real entre 1979 e 1986, verifica-se que as rendas mediana e média de homens e mulheres descrevem trajetos análogos nesse período, mas as das mulheres decrescem menos em 1979 e 1983. O diferencial de renda entre homens e mulheres diminuiu ligeiramente no período. A renda mediana masculina como percentual da feminina passa de 195,9 em 1979 para 181,9 em 1983 e para 190,5 em 1986.[10]

---

[10] Na realidade a renda mediana dos homens entre 1983 e 1986 cresce 20,9% e a das mulheres cresce 15,5%; deste modo, os homens se recuperam da queda maior que haviam sofrido entre 1979 e 1983.

A participação crescente das mulheres na força de trabalho tem contribuído para reduzir a renda da população como um todo. Nas empresas em que as mulheres são levadas a substituir homens, quase sempre ganham menos do que eles. E quando uma profissão inteira se feminiza, como ocorreu, por exemplo, com a professora primária, o seu nível de ganho cai drasticamente. Por outro lado, as mulheres vão galgando posições mais elevadas no mundo econômico e, com isso, enfraquecem a discriminação contra elas. Como mostram os dados, a diferença de renda entre os sexos, embora ainda enorme, está diminuindo.

A participação das mulheres na população com renda na Grande São Paulo, entre 1979 e 1983, sobe de ano para ano, passando de 32,6% em 1976 para 39,6% em 1986. As mulheres constituem mais da metade das classes de baixa renda: cerca de dois terços da classe com até meio salário mínimo e quase outro tanto na classe com renda de meio a um salário mínimo. A maior parte das atividades muito mal remuneradas, na metrópole paulistana, é exercida por mulheres. Na faixa de até um salário mínimo, em 1976, eram economicamente ativos 65,9% dos homens e 66,5% das mulheres, e aposentados 30,6% dos homens e 26,3% das mulheres. Naquele ano, das pessoas economicamente ativas com renda até um salário mínimo, 59,7% eram mulheres. Entre 1976 e 1986, a proporção de mulheres na classe de até meio salário mínimo aumentou de 65,5% para 69,8%; na classe de meio a um salário cresceu de 58,2% para 63%. Acentuou-se, pois, no decorrer dessa década, a tendência de as atividades mais mal pagas serem exercidas por mulheres.

Por outro lado, a participação das mulheres nas classes de renda média e alta aumenta cada vez mais. Em termos relativos, o maior aumento deu-se, entre 1979 e 1986, na classe de vinte ou mais salários mínimos, onde a proporção passou de 7,2% para 11,1%; na classe de dez a vinte salários mínimos, ela passou de 12,7% em 1976, para 21,4% em 1978, para 30,2% em 1986. Apesar disso, tanto no fim como no começo do período, a participação da mulher continua inversamente proporcional ao nível de renda. Ou seja, em 1986 continua sendo verdade que a participação da mulher vai diminuindo à medida que se passa a classe de renda mais alta. A inferioridade econômica da mulher portanto ainda prossegue.

Rendimentos e posição na ocupação

A renda da população ocupada distribui-se desigualmente entre os contribuintes e não contribuintes da previdência social. Em 1978, ganhavam até um salário mínimo menos de um vigésimo dos contribuintes e mais de um terço dos não contribuintes, ou seja, os trabalhadores do setor formal ganhavam muito mais do que os do setor informal.

A recessão aumentou a renda dos contribuintes no sentido de polarizá-la: entre 1979 e 1983, aumentaram os grupos extremos de até um salário mínimo (de 4,3% para 5,5%) e de mais de cinco salários mínimos (de 27,7% para 29,5%), caindo as classes de intermediárias (de 67,9% para 65%). A renda dos não contribuintes caiu nitidamente: as classes de até três salários mínimos subiram de 81,6% para 87,7%, e as demais caíram de 18,4% para 12,3%. A recessão atingiu os contribuintes sobretudo pelo desemprego, que vitimou mais que proporcionalmente os trabalhadores de baixos ganhos. Por isso, os que permaneceram ocupados no setor formal, em 1983, tinham proporções maiores nas classes de renda alta (mais de cinco salários mínimos) e média (de dois a três salários mínimos). Já os não contribuintes cresceram quantitativamente, em parte pelo afluxo dos despedidos do setor formal.

Entre 1983 e 1986, a renda dos contribuintes cresce: as classes de um a três salários mínimos caem de 44,1% para 35,7% e as de mais de três sobem de 50,4% para 59,1%. Algo semelhante se passa entre os não contribuintes: diminuem as classes com renda até três salários mínimos, de 87,7% para 69,1%, aumentando as de rendas mais elevadas de 12,3% para 30,9%. É particularmente impressionante o salto da classe de mais de cinco salários mínimos, de 5,9% para 12,7%, o que parece indicar o surgimento, na Grande São Paulo, de posições informais presumivelmente ocupadas por homens e mulheres adultos que são relativamente bem remunerados. Isso pode ser também um sinal de crescente sonegação fiscal, por parte de empregadores. Entre 1976 e 1986 a porcentagem de empregados sem carteira de trabalho assinada cresce de 85% para 87,8% na classe de até meio-salário mínimo; 40,3% para 54,3% na classe de meio a um salário mínimo; 16,0% para 28,0% na classe de um a dois salários mínimos. A proporção de empregados, na Grande São Paulo, que não têm seus direitos trabalhistas assegurados é assustadora. Em média eles representavam 26,1% do total de empregados em 1985, ou seja, mais de um milhão e trezentas mil pessoas. No caso da agricultura, em que a informalidade dos contratos é costumeira, e no dos funcionários públicos em que é forte a proporção dos que são nomeados no regime estatutário, é fácil explicar os números encontrados. Mas eles representam pequena proporção do total sem carteira.

TABELA 9 – REPARTIÇÃO DA RENDA DOS OCUPADOS CONTRIBUINTES E NÃO CONTRIBUINTES DA PREVIDÊNCIA SOCIAL, REGIÃO METROPOLITANA DE SÃO PAULO (1979, 1983 E 1986) (EM%)

RENDA (SM)	1979		1983		1986	
	C	Nc	C	Nc	C	Nc
Até 1	4,3	34,4	5,5	34,8	5,0	28,0
1 - 2	27,5	33,7	22,2	37,4	17,7	27,1
2 - 3	18,9	13,5	21,9	15,5	18,0	14,0
3 - 5	21,5	10,3	20,9	6,4	25,0	18,2
Mais de 5	27,7	8,1	29,5	5,9	34,1	12,7

Fonte: FIBGE, *Pesquisa Nacional por Amostra de Domicílios*, 1979, 1983 e 1986.
C - Contribuintes para a Previdência Social.
Nc - Não contribuintes.

TABELA 10 – COMPOSIÇÃO DOS EMPREGADOS NO TRABALHO PRINCIPAL POR CARTEIRA DE TRABALHO ASSINADA PELO EMPREGADOR, SEGUNDO OS RAMOS DA ATIVIDADE ECONÔMICA REGIÃO METROPOLITANA DE SÃO PAULO (1985)

RAMOS DE ATIVIDADE	CARTEIRA DE TRABALHO ASSINADA		TOTAIS	
	Possuíam	Não possuíam	%	Absolutos
Agricultura	39,4	60,6	100,0	19.654
Indústria	87,3	12,7	100,0	2.260.001
Comércio	72,5	27,5	100,0	555.315
Transporte e comunicação	90,2	9,8	100,0	242.002
Serviços	53,0	47,0	100,0	1.033.701
Social	57,3	42,7	100,0	497.285
Administração pública	29,4	70,6	100,0	232.572
Outras atividades	92,7	7,3	100,0	401.108
TOTAL	73,9	26,1	100,0	5.241.638

Fonte: FIBGE, *Pesquisa Nacional por Amostra de Domicílios*, 1985.

Renda familiar e grupos domésticos

Convém assinalar a evolução da renda familiar na Grande São Paulo, pois a capacidade de consumo da população é exercida sobretudo no seio dos agrupamentos familiares. Essa análise, no caso de uma região metropolitana, tropeça na diversidade de dados tabulados pelas pesquisas domiciliares da FIBGE. As de 1976 e 1978 apresentam distribuições de renda familiar. As de 1978, 1983 e 1986 apresentam distribuições de renda domiciliar. A de 1979 não apresenta nem uma nem outra.[11]

Entre 1976 e 1978, a renda familiar na Grande São Paulo caiu: diminuiu a proporção de famílias com mais de cinco salários mínimos de 54,4% para 50,9%, elevando-se as parcelas com renda menor. A renda familiar mediana caiu de 5,25 salários mínimos em 1976 para 5,08 em 1978.

Entre 1978 e 1983, a renda domiciliar sofreu nova queda. Deve-se supor que haja alta correlação entre renda familiar e domiciliar, já que a grande maioria dos domicílios é unifamiliar. Entre 1978 e 1983, a classe com renda domiciliar de mais de cinco salários mínimos caiu de 54,2% para 51,3%, subindo as classes de dois a cinco e de até um. A renda domiciliar mediana diminuiu de 5,46 salários mínimos em 1978 para 5,14 em 1983. Considerando a desvalorização do salário mínimo no período, a queda da renda domiciliar mediana real entre 1978 e 1983 foi de 13,6%.

Entre 1983 e 1986, houve nítida recuperação da renda domiciliar, tendo diminuído de 48,6% para 36,7% as classes com rendimentos até cinco salários mínimos. Aumentaram as classes com rendas superiores. Quase 12% dos domicílios ultrapassaram essa barreira, sendo particularmente grande o incremento das proporções com rendas altas. Os domicílios que contavam com uma renda entre dez e vinte salários mínimos passaram de 16,2% para 20,1% do total, e aqueles com mais de vinte passaram de 7,1% para 11,6%.

A renda domiciliar mediana passou de 5,14 salários mínimos em 1983 para 7,1 em 1986. Mas, como neste período o salário mínimo perdeu

---

[11] Renda familiar é a soma das rendas das pessoas da família e renda domiciliar resulta da soma das rendas das pessoas que mora no domicílio, a renda domiciliar pode ser maior do que a família. A PNAD de 1978 apurou, na Grande São Paulo, a renda de 2.959.130 famílias e de 2.777.601 domicílios.

5,8% de seu poder de compra, o aumento real foi de apenas 29,9%, ainda assim considerável. O aumento da renda domiciliar reflete as elevações do emprego e da renda do trabalho em conjunto, ocorridas de 1983 a 1986. A renda domiciliar mediana, em 1986, havia recuperado por inteiro a queda havida entre 1978 e 1983 e com acréscimo real de 12,4%.

As oscilações conjunturais nos rendimentos familiares refletem não apenas as mudanças de política econômica, mas também as estratégias de sobrevivência das famílias. Acréscimos nos rendimentos pode significar a incorporação de mais membros da família ao emprego formal. Podem também ter sido obtidos por meio de biscates que completam o orçamento, com atividades no setor informal fora de casa ou de produção doméstica para uma freguesia da vizinhança. Podem ainda resultar de horas extras, cuja generalização e permanência têm acarretado o prolongamento sistemático das jornadas de trabalho. Além disso, há caos em que houve acréscimo de pessoas aos domicílios, em função da impossibilidade de membros das famílias continuarem em casa própria ou alugada.

A luta pela sobrevivência da população trabalhadora tem passado por uma extensão dos sacrifícios, com incorporação prematura de crianças e adolescentes à atividade produtiva, com a dupla ou tripla jornada de trabalho das mulheres, com o esgotamento físico dos empregados sujeitos a jornadas de trabalho extensas. A isso se deve também acrescentar a precariedade das condições de habitação e transporte.

Um reflexo gritante do padrão de desenvolvimento baseado no esgotamento da força de trabalho encontra-se na situação da saúde. Embora a atenção pública seja pequena, e portanto os dados sejam insuficientes, é possível verificar sintomas do descalabro a que se chegou no que se refere a acidentes de trabalho e doenças profissionais.

Saúde e trabalho

A questão das doenças profissionais, como de resto outras ligadas à esfera da produção, é difícil de ser avaliada com precisão. Ela toca diretamente os interesses imediatos das empresas. Medidas que visem a assegurar a salubridade do ambiente de trabalho e a prevenção de acidentes requerem investimentos em tecnologia, mais caros que a descartável força de trabalho. Por outro lado, sua ausência transfere para os cofres públicos as despesas com indenizações, pensões e aposentadorias para a força de trabalho sucateada pelo padrão altamente predatório de sua exploração em nossa sociedade. Os dados disponíveis, além de escassos, estão pulverizados em várias fontes que impossibilitam sua consolidação final.[12] Para citar apenas um exemplo, o Estado de São Paulo, responsável por 47% dos acidentes de trabalho ocorridos no país em 1986 (acidentes típicos e doenças profissionais) e por 29% das mortes ocorridas no período, conta com somente 140 fiscais especializados em segurança e medicina do trabalho para fiscalizar cerca de 600 mil empresas. Ainda para o Estado de São Paulo, o Ministério do Trabalho conta com um médico para fiscalizar dez mil estabelecimentos, não possuindo veículos e equipamentos para a fiscalização em segurança e medicina do trabalho.

Como as próprias condições de registro e coleta de dados são, e não por acaso, absolutamente precárias, os dados oficiais só podem ser lidos com cautela. Os números disponíveis para o Estado de São Paulo apresentam uma proporção de 0,2 doença profissional por acidente típico do trabalho, em 1971, 0,3 em 1979, atingindo 0,6 em 1987. Como se poderia supor que condições tão inseguras de trabalho, que em 1987 provocaram 484.718 acidentes típicos, dessem origem a doenças profissionais em apenas 3.043 casos?

O espanto aumenta diante da comparação com outros países: para 1986 tem-se o seguinte quadro: enquanto no Brasil, para cada 246 acidentados do trabalho, um trabalhador morre, na Espanha a relação é 466/1, na Alemanha 538/1, na Suécia 849/1, e nos Estados Unidos 1.236/1. Pode-se supor que a diferença de padrões tecnológicos explique os contrastes entre as condições de trabalho quanto aos acidentes. Mas, no que se refere às doenças, é paradoxal que o Brasil apresente, em 1986, uma doença profissional para cada dez mil trabalhadores, enquanto nos Estados Unidos esse índice era 33 vezes maior.[13]

---

[12] Os dados aqui utilizados tiveram como fonte: Fundação Jorge Duprat Figueiredo, de Segurança e Medicina do Trabalho (Fundacentro); Departamento Intersindical de Estudos e Pesquisas de Saúde e dos Ambientes de Trabalho (DIESAT); Fundação Instituto Brasileiro de Geografia e Estatística (FIBGE); Ministério da Previdência e Assistência Social (MPAS) e o arquivo da deputada Clara Ant.

[13] *O Estado de S. Paulo*, 24 jun. 1987.

TABELA 11 – ACIDENTES DE TRABALHO, ESTADO
DE SÃO PAULO (1971-1987)

Ano	Acidentes típicos	Doenças do trabalho	Acidentes de trajeto	Total
1971	587.601	1.128	7.406	596.135
1972	669.604	712	8.897	679.213
1973	678.510	980	12.322	691.812
1974	753.456	1.124	20.057	774.646
1975	835.918	1.376	22.969	860.263
1976	678.400	1.686	22.264	702.350
1977	661.994	2.082	25.194	689.270
1978	649.420	2.256	21.249	672.925
1979	610.616	2.033	21.167	633.816
1980	629.182	1.899	23.334	654.415
1981	534.946	1.613	20437	556.996
1982	499.656	1.544	22.730	523.930
1983	430.466	1.443	23.341	455.250
1984	425.848	1.373	22.923	450.144
1985	476.902	1.822	24.925	503.649
1986	523.124	2.639	29.578	555.341
1987	484.718	3.043	25.592	513.353

Fonte: Instituto Nacional de Previdência Social (INPS),
Setor de Estatística - Fundação Jorge Duprat Figueiredo, de Segurança e Medicina do Trabalho (Fundacentro).

O problema não reside somente no mundo do trabalho, mas também na forma de seu tratamento legal. A lei n.º 5316/1967 passa a estabelecer a distinção entre os conceitos de doença profissional e de doença do trabalho. As doenças profissionais passam a ser restritas as 21 ditas típicas, que independem da comprovação do nexo causal entre o agente patogênico e a enfermidade. Todas as demais doenças passam a necessitar da comprovação daquele nexo causal pela vítima para que a ação seja julgada procedente.[14] Reproduz-se, assim, no caso das

---

[14] Das 21 doenças constam a silicose (provocada pela sílica presente nas atividades de mineração, pedreiras, fundições, indústrias de vidro e cerâmica etc.) e a asbestose (provocada pelo amianto, presente nas atividades de extração e tratamento de

doenças do trabalho, a mesma lógica dos acidentes do trabalho, definidas pelo Estado. Aqui, o trabalhador é o responsável pelo ato inseguro que provoca o acidente, na esmagadora maioria dos casos. Lá, cabe ao trabalhador que tiver a infelicidade de apresentar uma doença que não conste no rol das 21 reconhecidas como doenças profissionais comprovar sua relação de causa e efeito com as condições do ambiente de trabalho.

Não se dispõe de dados suficientes para avaliar toda a extensão do que vem ocorrendo na região metropolitana. Pode-se, contudo, através de alguns exemplos, chamar a atenção para o que há de mais assustador.

Em relação ao total da população economicamente ativa do município de São Paulo entre 1981 e 1984, tem-se que 0,06%, 0,04%, 0,05%, 0,04% dos trabalhadores se acidentaram, com presença majoritária dos trabalhadores do sexo masculino.[15] Para os quatro anos prevalecem, por ordem de importância, como principais causadores de acidentes, os seguintes ramos de atividade: construção civil, indústria mecânica e de material eletroeletrônico, comércio varejista e indústria metalúrgica. A maior presença, portanto, de trabalhadores do sexo masculino nas cifras dos acidentados reflete o fato de os ramos mais perigosos e inseguros da atividade econômica serem aqueles que empregam majoritariamente mão de obra masculina; e não, como poder-se-ia interpretar na ótica da culpabilidade do trabalhador pelos acidentes, maior propensão do homem do que da mulher a se acidentar.

Quando se examina a composição por idades, verifica-se que a maior incidência absoluta de acidentes do trabalho ocorre entre os 21 e os 30 anos, em segundo lugar dos 30 aos 40 anos, e em terceiro até os 21 anos (à exceção do ano de 1981). Mas as proporções em relação à população economicamente ativa revelam algo diferente[16]:

---

minérios, roupas de proteção, fabricação de caixas d'água etc.) mas não consta a bissinose, comprovadamente causada pelas poeiras de algodão cru, mas não comprovável com exames radiológicos ou laboratoriais: os pulmões do bissinótico não se diferenciam dos de um bronquítico, por exemplo. E, nesse caso, de nada adianta sua história profissional comprovando longo tempo de exposição às poeiras de algodão cru. Fonte: H. P. RIBEIRO; F. A. C. LACAZ. *De que adoecem e morrem os trabalhadores*. São Paulo, DIESAT/IMESP, 1984, p.191.

[15] Dados da PEA tendo como fonte a SEPLAN/EMPLASA.

[16] As faixas etárias aqui divergem para a população mais jovem: até 19 anos e de 20 a 29 anos.

proporcionalmente, é o trabalhador mais jovem que mais se acidenta (até 21 anos de idade), seguido do trabalhador de 21 a 30 anos.

TABELA 12 – ACIDENTES DO TRABALHO MUNICÍPIO DE SÃO PAULO (1981-1984)

	1981	1982	1983	1984
Total	3668	2888	3399	2903
Distribuição por sexo				
Homens	3.104(84.62)	2.453(84.94)	2.869(84.41)	2.443(84.16)
Mulheres	564(15.38)	434(15.03)	530(15.59)	460(15.84)
Erro		1(0.03)		
Distribuição por faixa etária				
até 18	292(7.96)	214(7.41)	252(7.41)	174(5.99)
18-21	562(15.32)	371(12.84)	513(15.09)	374(12.88)
21-30	1344(36.65)	1110(38.44)	1209(35.57)	1091(37.58)
30-40	820(22.35)	729(25.24)	824(24.24)	746(25.70)
40-50	413(11.26)	296(10.25)	376(11.06)	351(12.09)
50 e mais	237(6.46)	168(5.82)	225(6.63)	167(5.76)

Fonte: Fundação Jorge Duprat Figueiredo de Segurança e Medicina do Trabalho (Fundacentro).

Quantificar as doenças profissionais é mais difícil. Isso porque "[...] nos países europeus onde a vigilância sobre o ambiente do trabalho alcançou eficácia, registrou-se, num primeiro momento, a equivalência entre doenças e acidente e, em seguida, o número de doenças ultrapassa o de acidentes, [no Brasil...] ainda que as doenças sejam computadas no mesmo total de acidentes, a experiência relatada por sindicalistas europeus permite caracterizar o dado do INPS como mera formalidade e não como informação estatística real". Seria assim provável que, atualmente, o número de doentes chegasse a dois milhões de casos por ano, incluídos os trabalhadores não cadastrados pela previdência social.[17]

Ainda que as ocorrências anuais de doenças do trabalho possam ser estimadas com base nos atendimentos e nos benefícios pagos pela previdência, os números retratam apenas uma pequena parcela da real dimensão que elas atingem, não só por subnotificação, mas também

---

[17] ANT, Clara. Morte em silêncio. *Tempo e Presença*. Rio de Janeiro, CEDI, (330), maio, 1988.

porque as doenças do trabalho, mesmo as 21 reconhecidas por lei, se desenvolvem por meses e anos, podendo evidenciar seus primeiros sintomas quando o trabalhador não mais exerce aquela atividade ou já deixou de trabalhar. Documento do DIESAT chama a atenção para o fato de que, mesmo quando as doenças profissionais são consideradas doenças do trabalho pela previdência social, tornando possível uma indenização para o trabalhador, do ponto de vista da legislação específica elas são acidentes de trabalho, o que significa que sua ocorrência é ocasional, eliminando, na esfera do Direito, a responsabilidade civil e criminal do empregador.[18]

Um exemplo, dentro os muitos que podem causar estranheza: segundo o Departamento de Segurança do Trabalho do Sindicato dos Metalúrgicos de Osasco, no período de 1980 a 1986, para um total de 104.921 acidentados houve 210 mortes e somente 21 doenças profissionais, o que dá uma relação de um caso de doença do trabalho para cada 4.996 casos de acidentes do trabalho.[19]

De qualquer forma, técnicos do DIESAT apontam para o fato de que a persistência do reconhecimento de apenas 21 agentes causadores de doenças profissionais por parte da previdência social significa que ela está ignorando o crescimento da utilização de insumos pela indústria, deixando de considerar aproximadamente 150 agentes químicos e físicos que o Ministério do Trabalho qualifica de insalubres. As doenças mais comuns, de que se tem registro, são: intoxicação por substâncias químicas, surdez, dermatoses e silicose. E as doenças responsáveis pelo maior número de afastamentos são problemas de coluna, hipertensão arterial, neuroses, tuberculose, todas não consideradas como doenças profissionais, mas crônico-degenerativas apesar de sua grande incidência na faixa etária dos 30 aos 40 anos.[20]

Se a previdência social reconhece um número bastante reduzido de agentes causadores de doenças profissionais, se o Ministério do Trabalho não se encontra aparelhado para fiscalizar questões relativas

---

[18] Departamento Intersindical de Estudos e Pesquisas de Saúde e dos Ambientes de Trabalho (DIESAT). *As formas explícitas da violência do trabalho* (mimeo).

[19] Publicações do Departamento de Segurança do Trabalho, Sindicato dos Trabalhadores nas Indústrias Metalúrgicas, Mecânicas e de Material Elétrico de Osasco, jan. 1987.

[20] *Folha de S. Paulo*, 13 jan. 1986.

à segurança e medicina do trabalho, se só recentemente a saúde do trabalhador vem sendo objeto de um programa específico por parte da Secretaria de Estado de Saúde, configurando um cenário de atuação bastante tímida perante a periculosidade das condições e ambientes do trabalho, como reagem patrões e empregados?

O empresariado reage a qualquer tentativa, por parte dos trabalhadores e serviços de saúde especializados, de fazer frente às más condições de trabalho como se fosse um atentado à livre iniciativa privada. Com argumentos de ordem econômica, estigmatiza-se qualquer forma de mobilização como esquerdizante. Chega-se a denunciar a própria atuação do serviço público no controle das condições do ambiente do trabalho, como se ela transformasse os trabalhadores em "massa de manobra" de escusos objetivos políticos, ameaçando a lucratividade e portanto a livre iniciativa. Acena-se, em favor da não intervenção dos órgãos públicos, com possíveis e indefinidamente futuros investimentos para que as instalações se adaptem ao já generoso padrão mínimo exigido pela legislação brasileira.[21]

A mobilização dos trabalhadores contra esse descalabro vem crescendo nos últimos anos. São registrados casos de greve em que a pauta de reivindicações é composta basicamente de itens referentes às condições insalubres e inseguras de trabalho, tendo ocorrido tanto em empresas multinacionais quanto nacionais, em vários pontos do Estado.

Alguns documentos registram ter sido em 1984, na Grande São Paulo, a primeira greve ocorrida no Brasil por melhores condições de trabalho e saúde: 480 funcionários de uma empresa de esmaltes para azulejos e ladrilhos entraram em greve e tiveram suas reivindicações atendidas. O movimento teve origem quando vários operários procuraram o Sindicato dos Químicos do ABC preocupados com uma possível contaminação por chumbo (o que causa saturnismo). Eles haviam acabado de realizar exames de sangue periódicos na empresa e haviam sido transferidos do setor com a recomendação de não comunicarem ao sindicato seus problemas de saúde. Novos exames realizados pelo sindicato

---

[21] Veja-se, por exemplo, matéria publicada no *Diário de Bauru*, 01/11/87, que é exemplar no que se refere ao ponto de vista empresarial.

mostraram que 31 operários estavam contaminados, por apresentar óxido de chumbo no sangue. Da pauta de reivindicações contava, além do afastamento dos empregados contaminados, um item que exigia a entrega, aos operários, dos resultados dos exames médicos realizados periodicamente pela empresa, elemento imprescindível para que os trabalhadores possam ter controle sobre suas próprias condições de saúde.

Vários estudos vêm apontando para a dimensão pouco reconhecida dos distúrbios emocionais provocados pelas condições e ambientes de trabalho. Pesquisa realizada pelo DIESAT no setor bancário corrobora dados apresentados pelo DIEESE em 1979, que mostravam que 51% dos bancários na Grande São Paulo percebiam a tensão nervosa como problema acarretado pela sobrecarga de trabalho. Pesquisa mais recente, a par de problemas de saúde como dores lombares, gastrite, varizes, tenossinovite (só em 1987 reconhecida como doença do trabalho), arrola uma série de problemas marcadamente sentidos como psicossociais: prejuízo de criatividade pessoal, prejuízo de vida afetiva, distúrbios do sono – que, pela sua frequência e importância, mereceram no relatório final um destaque especial –, sentimentos de autodesvalorização, insegurança e desânimo quanto às perspectivas de carreira e de realização de projetos de vida, dentre outros.[22]

No entanto, se trata de uma dimensão ainda mais obscura do intrincado universo das doenças profissionais. Tão intrincado que, em 1985, o Sindicato dos Trabalhadores Metalúrgicos de Osasco verifica que pelo menos sete mortes ocorridas no trabalho não constam de nenhuma estatística oficial; que nesse mesmo ano, segundo a agência do INPS de Osasco, ocorreram apenas três casos de doenças do trabalho na região, enquanto a Subdelegacia do Trabalho informou que, para o mesmo período, havia recebido 22 notificações de doenças do trabalho encaminhadas pelas próprias empresas; que levantamento da Delegacia Regional do Trabalho e da Fundacentro sobre as condições de trabalho nas galvanoplastias da região constatou a existência de 113 trabalhadores com lesões de pele provocadas pelos vapores de cromo e níquel.[23]

---

[22] Departamento Intersindical de Estudos e Pesquisas de Saúde e dos Ambientes de Trabalho (DIESAT). *Trabalho e saúde mental do bancário*. São Paulo, 1985 (mimeo).

[23] *Trabalho & Saúde*. São Paulo, DIESAT, ano 6 (12) abril/junho, 1986.

Ora, esses trabalhadores portadores de doença profissional, não tendo sido afastados do trabalho, não constam dos registros do INAMPS nem do INPS. As empresas onde trabalham, consequentemente, não tiveram reavaliadas suas taxas de insalubridade para efeito de pagamento do seguro de acidentes de trabalho. A isso se acrescenta o fato de existirem 525 casos de trabalhadores metalúrgicos portadores de surdez irreversível, só na região de Osasco.

Esse quadro não é exceção, mas apenas confirma a regra de existência de um real sub-registro dos acidentes e doenças do trabalho, que não encontra explicação de ordem técnica, mas numa complexa aliança de interesses que isenta Estado e setor privado do dever de indenizar e sobretudo prevenir acidentes e doenças ocupacionais. Trabalhar em São Paulo constitui, ao mesmo tempo, uma pena e um risco.

Estrutura ou crise?

A análise das condições de trabalho em São Paulo não pode estar dissociada da evolução geral da economia brasileira. Ao procurar examinar os dados mais recentes, pode-se ter a impressão de estar lidando com fenômenos passageiros, determinados por uma conjuntura de crise ou por políticas de curto prazo. Entretanto é necessário enfatizar que os fatos que hoje ocorrem vêm sendo observados ao longo de toda a recente história econômica brasileira. Se é verdade que nos períodos de retratação da atividade produtiva as condições de trabalho deterioram-se como decorrência imediata da menor capacidade da economia em absorver a força de trabalho aglomerada na cidade, também se observa que as épocas de rápido crescimento não são suficientes para garantir melhores condições de ocupação ou de rendimentos à classe trabalhadora. A única constante do recente processo de crescimento econômico brasileiro é o quadro de pauperização de grandes parcelas da população, sistematicamente excluídas dos benefícios por elas próprias gerados.

Já foi visto que, a partir de meados da década de cinquenta, ocorreram importantes mudanças nos padrões de industrialização e de assentamento espacial das atividades econômicas no Brasil. Embora o crescimento econômico continuasse centrado nos bens de consumo não duráveis, houve forte expansão interna de setores de bens de capital e de bens intermediários. Apesar disso a importação de bens de capital, intermediários e de petróleo e derivados continuou a crescer de forma sistemática. A substituição de importações nestes setores é feita de forma gradual, através de projetos de média ou longa maturação. A abertura para novas importações abriu espaço para o investimento externo direto já durante o Plano de Metas (1956-1960). Ao mesmo tempo que aumentava a presença do estado na esfera produtiva, iniciou-se um novo processo de internacionalização econômica e unificação do mercado interno. Contudo, é no período recessivo, entre 1962 e 1967, que os marcos institucionais e políticos desse movimento tornaram-se claros. Desbloquearam-se então as restrições aos financiamentos interno e externo. Ao mesmo tempo o crescimento do mercado de bens de consumo duráveis assentava-se numa política concentradora de rendas. De fato, ao longo de todo o período após 1964, enquanto as rendas, tanto a familiar como a regional, concentravam-se, os setores agrícola e de bens não duráveis, que compõem a oferta dos produtos de consumo popular, apresentavam taxas de crescimento inferiores às do conjunto da economia.

Principalmente a partir de 1967, já consolidada a ditadura militar, a economia brasileira retomou o crescimento. O estado modernizou-se nos setores fiscal, financeiro e administrativo. Fortes esquemas de poupança, de incentivos e de financiamento foram montados, com destaque para a participação do Estado e do capital externo. Os salários dos estratos médios e inferiores foram arrochados, o que agravou ainda mais a distribuição de renda familiar. Chamou-se esse período de "milagre", já que houve crescimento médio do produto interno bruto de 11,2% ao ano entre 1967 e 1973, liderado pelos bens duráveis (23%). Utilizou-se inicialmente a ampla margem ociosa da capacidade produtiva já instalada. Destaque-se o ritmo intenso de formação bruta de capital fixo, que saltou de um patamar de 18% nas décadas de 1950 e 1960 para cerca de 25% nos anos 1970. Nesse total, pesou consideravelmente a participação de capitais externos, seja na forma de investimentos diretos ou de empréstimos. Entre 1970 e 1973, a participação da poupança externa alcançou 2,1% do produto interno bruto. Entre 1974 e 1980, este percentual chegou à média de 4,6% ao ano, o que equivalia a cerca de 20% de toda a poupança nacional. A partir de 1980, a tendência foi de rápida retração das entradas de recursos financeiros externos, que depois de 1983 já não tiveram maior significação.

Em meados dos anos 1970 inicia-se uma tendência à queda dos investimentos, particularmente no que se refere a máquinas e equipamentos. As oportunidades de investir vão se exaurindo, particularmente aquelas comandadas pelo setor estatal. Se em 1975 o Estado era responsável por 33% do gasto na formação bruta de capital fixo na construção, em 1979 esse percentual cai pela metade. Adicione-se a isso a crise do petróleo. Já em 1976, manifestam-se os reflexos negativos da estrutura de financiamento externo sobre o balanço de pagamentos. Apesar do crescimento do produto interno bruto ter-se mantido relativamente estável no período de 1977 e 1980 (média de 7,1% ao ano), a desaceleração já era evidente.

Com a alta dos preços internacionais do petróleo e dos juros internacionais em 1979, a captação de recursos externos para aplicação diretamente produtiva torna-se difícil. O endividamento externo, de médio e longo prazos, acelera-se. Até 1973, a dívida era de US$ 12,5 bilhões. Já em 1978 ela alcança US$ 43,5 bilhões, saltando para US$ 54 bilhões em 1980 e US$ 100 bilhões em 1985. As contas externas e o setor financeiro passam a comandar o planejamento econômico. As conhecidas políticas contencionistas são postas em prática com o objetivo de "crescer para fora". A internacionalização do capital, passando por cima das necessidades do consumo popular, exige saldos positivos no balanço comercial. A retração nas importações é violenta e a indústria de transformação passa a liderar as exportações. Em 1982, após muitos anos, o saldo comercial é positivo. Num primeiro momento, entre 1980 e 1984, a contração econômica é a mais violenta da história brasileira. À exceção dos segmentos produtivos voltados para o mercado externo, a crise é generalizada, afetando de forma mais dramática justamente aqueles setores que lideraram o crescimento nos últimos trinta anos. A política monetária tornou menos atraentes os investimentos produtivos, mesmo aqueles de reposição. Fala-se em sucateamento do parque produtivo e em fuga de capitais.

O esboço da recuperação nos anos de 1985 e 1986, capitaneado pelas exportações e por políticas expansionistas como o Plano Cruzado, teve fôlego curto, pois não houve uma efetiva retomada dos investimentos produtivos. Pelo contrário. No plano externo, o ajuste, que passa por uma recessão, está em andamento. No plano interno, a política monetária apertada e a falta de credibilidade das instituições políticas e governamentais inibem os investimentos, o nível de emprego e os gastos sociais. Em consequência aumenta ainda mais a precariedade das condições de vida da maioria dos brasileiros.

Esse quadro é agravado com a aceleração do processo inflacionário. Contando com uma economia fortemente indexada, a inflação brasileira acelera-se quando a crise econômica se instala, no início dos anos 1980. De fato, de um patamar de cerca de 40% ao ano, entre 1975 e 1978, a inflação dispara para 80% em 1979 e 110% em 1980, reduzindo-se ligeiramente nos dois anos seguintes. Já em 1983, a casa dos 200% é alcançada, talvez como resultado do enorme esforço para se obter saldos positivos na balança comercial e da pressão dos custos produtivos, com a redução nas escolas de operação industrial de segmentos voltados para o mercado interno. Os mecanismos de ajuste vão internalizando os custos da dívida externa e inviabilizando os planos ortodoxos de estabilização. Esse quadro só é quebrado com o advento do Plano Cruzado, em 1986. A inflação é contida em 65%, mas, logo em seguida, passa a caminhar para uma situação dramática, sem perspectivas aceitáveis. É incontestável que o resultado foi o reforço do crescimento dos setores exportador e financeiro. Os impactos foram extremamente danosos nos cofres públicos e nos salários, representando duros golpes para as condições de vida das camadas populares e mesmo dos assalariados de renda média.

Encarada como mal passageiro, a inflação é normalmente tratada por políticas de ajustamento. No entanto, ao alterar preços relativos a mercadorias, serviços, salários, aluguéis, taxas de juros, tarifas públicas etc., a inflação provoca um verdadeiro conflito distributivo que altera a forma como a renda criada é repartida socialmente. As classes capitalistas, nesse conflito, afastam-se das funções produtivas e aproxima-se, cada vez mais, do parasitismo do capital especulativo, particularmente o financeiro, fazendo quebrar os cofres públicos e tornando o corpo econômico imune a qualquer política fiscal ou monetária.

Há uma sucessão de planos transitórios que tentam remediar a situação de curto prazo. O último deles leva o nome de Plano Verão, o que já assinala o tempo de sua vigência, já que as estações do ano duram apenas três meses. Tenta-se dar a impressão de que se trata de uma "crise". Todavia, anos a fio, as crises se sucedem e os esparadrapos não conseguem disfarçar a chaga.

A tarifa-zero e a municipalização do transporte coletivo[1]

A origem da ideia da tarifa-zero

Em meados de setembro de 1990, o governo encontrava-se reunido para fechar o projeto orçamentário para 1991. O processo tinha sido particularmente árduo porque a execução orçamentária do exercício corrente tendia a ser deficitária. O governo tinha se fixado metas ambiciosas para 1990, entre as quais terminar a construção de dois grandes hospitais regionais, um em Campo Limpo e outro em Ermelino Matarazzo, e de três mini-hospitais, além da reforma do Vale do Anhangabaú. As equipes da Secretaria das Finanças e da Secretaria Municipal de Planejamento (Sempla) previam que os esforços resultariam em grandes "restos a pagar" de 1990 a serem saldados em 1991, o que exigia um enxugamento relativo dos gastos no exercício seguinte, contradizendo inteiramente as expectativas dos secretários-fim e dos movimentos sociais que eles representavam. Esperavam que a restrição orçamentária seria gradualmente aliviada, permitindo ampliar investimentos e expandir os serviços ano após ano. Foi com muita dificuldade que se resignaram a previsões de gasto para 1991 menores que as correntes, unanimemente julgados insuficientes.

O secretário de Transportes Lúcio Gregori pediu a palavra e relatou que participaria em breve de uma reunião sobre transporte

---

[1] Publicado originalmente em: SINGER, P. I. *Um governo de esquerda para todos. Luiza Erundina na prefeitura de São Paulo (1989-1992)*. São Paulo: Brasiliense, 1996, p. 137-159. Neste e nos próximos dois capítulos, o autor descreve e analisa sua experiência como secretário municipal de Planejamento durante a primeira gestão do Partido dos Trabalhadores (PT) na cidade de São Paulo. (N. do Org.)

público, onde defenderia a tese de subsidiamento total da tarifa. Depois de dizer isso, entrou em outro assunto, provavelmente a questão do orçamento que cumpria resolver. A reunião continuou até ser suspensa para o almoço. Enquanto comiam, Lúcio Gregori e Paulo Sandroni, presidente da Companhia Municipal de Transporte Coletivo (CMTC), conversaram sobre a ideia de tarifa-zero, que o primeiro resolvera colocar em debate. Sandroni (segundo o relato que ele me fez) procurou convencer Lúcio de que a ideia poderia ser proposta concretamente imediatamente, para ser incluída na proposta orçamentária de 1991. Ambos decidiram procurar a prefeita para sondá-la a respeito. Luiza Erundina mostrou-se receptiva: a discussão sobre o orçamento tinha deixado o governo um tanto desanimado, faltava uma proposta ousada que resumisse o propósito redistributivo da administração e permitisse retomar a ofensiva.

Quando os trabalhos foram reiniciados, a prefeita pediu a atenção de todos para uma proposta a ser feita pelo secretário de Transportes. Este passou então a detalhar a ideia. Se a tarifa de ônibus fosse inteiramente subsidiada, seria de se esperar que a demanda por transporte coletivo crescesse substancialmente, já que muitas viagens deixam de ser feitas em função de seu custo. Ora, não faria sentido deixar de atender essa demanda suplementar, pois nesse caso o maior efeito da tarifa-zero seria aumentar o desconforto de todos, já que aumentando a superlotação dos ônibus ainda seria maior. Portanto, uma condição básica da proposta era uma ampliação acentuada – ele ainda não tinha ideia de quanto – da frota de veículos. Haveria, portanto, um duplo aumento do gasto com o transporte coletivo: o subsídio à tarifa teria que se elevar, possivelmente para o dobro se o subsidiamento fosse então de 50%, e o gasto de operação subiria na proporção em que se ampliasse a frota. Mas a tarifa-zero também traria economia, pois permitiria dispensar os serviços dos cobradores assim como da fiscalização da receita tarifária e todas as operações contáveis e outras de processamento da referida receita.

Naquele momento não havia ainda cálculos a respeito do efeito líquido da tarifa-zero sobre o erário municipal, mas o mais provável é que pelo menos no início ele seria negativo, no sentido de exigir ampliação do gasto. Mesmo porque a dispensa dos cobradores não poderia ser imediata por serem necessários para, juntamente com os motoristas, manter a disciplina no interior dos ônibus. A ideia era reciclar o maior número de cobradores para transformá-los em motoristas, cujas vagas seriam multiplicadas em função da ampliação da frota. Haveria ainda a questão de como financiar essa ampliação, mas se poderia supor que as empresas privadas que exploravam o transporte coletivo (então em vias de ser municipalizado) se disporiam a ampliar suas frotas, desde que o lucro decorrente de sua operação fosse compensador. A dificuldade óbvia seria financiar o aumento da frota da CMTC, para o que a municipalidade não dispunha de recursos. A solução lógica era ampliar na medida do necessário apenas as frotas privadas, pois o custo de operação da frota da CMTC era muito maior.

Lúcio defendeu com ardor e competência as vantagens da tarifa-zero. Não deixou dúvida de que a população a ser beneficiada seria a de renda mais baixa, que passaria a economizar a quantia gasta com a condução e ganharia a possibilidade de usufruir todo o espaço da cidade, inclusive o acesso à totalidade de seus serviços. Se o curso da tarifa-zero fosse coberto por recursos tributários retirados das empresas capitalistas ou dos moradores de renda acima da média, o resultado seria uma ponderável distribuição de renda.

A discussão dentro do governo

A proposta desencadeou imediatamente forte discussão sobre os seus méritos e sobre a sua oportunidade. Quanto ao mérito, a grande dúvida repousava sobre a justiça ou a adequação de se concentrarem tantos recursos num só serviço, mesmo tendo este a importância do transporte coletivo. Inevitavelmente a satisfação de outras necessidades da população mais carente teria de ser restringida. Além disso, qualquer serviço gratuito tende a dar lugar a abusos. Adversários da ideia lembraram que em outras cidades em que haviam aplicado a tarifa-zero verificara-se que muita gente tomava ônibus meramente para passear e bandos de jovens turbulentos aproveitavam a oportunidade para farrear, incomodando os demais passageiros. Mas o principal argumento contra a proposta de incluir a tarifa-zero no projeto de OP-91 (Orçamento Participativo) era sua inoportunidade: faltava tempo para amadurecer a ideia, para colher elementos que permitissem verificar sua validade, para formular sua implantação com todas as implicações para o transporte coletivo, o trânsito, as outras modalidades de transporte, as finanças municipais etc., além de o projeto OP já haver passados pelas audiências públicas regionais, faltando apenas uma quinzena para vencer o prazo final de sua apresentação à Câmara Municipal.

Nenhum desses argumentos convenceu a prefeita, que estava cada vez mais convencida exatamente da oportunidade da proposta. A necessidade de conter o déficit roubara o ímpeto do governo, e precisávamos de uma nova bandeira, capaz de galvanizar o partido e o movimento social. Nas discussões anteriores sobre as prioridades do governo, muitos secretários e administradores regionais haviam insistido que o governo precisava definir sua marca mediante alguma realização original e significativa. Só que cada secretário-fim achava que a prioridade identificadora da administração Luiza Erundina deveria preferencialmente ser escolhida em sua área de atuação. Outros, entre os quais me incluía, estavam convictos de que a "marca" de nosso governo deveria ser exatamente o equilíbrio, o reconhecimento de que a maioria desprivilegiada se compunha de diversas minorias polarizadas por interesses ou necessidades diferentes e que cada uma teria no mínimo algum atendimento. A tarifa-zero tinha o mérito de beneficiar praticamente a totalidade dos cidadãos de baixa renda, que, não dispondo de transporte próprio, dependem do transporte público. Sua conquista consagraria a administração petista, conferindo-lhe a marca de dedicação à justiça social.

A partir daquela tarde de setembro, a discussão girou quase sempre ao redor dos mesmos argumentos. Quando ficou claro que Luiza Erundina assumira a proposta e a considerava politicamente oportuna e urgente, as vozes contrárias dentro do governo deixaram de se manifestar. Eu pessoalmente não fiquei convencido pela argumentação de Lúcio Sandroni e outros partidários da tarifa-zero: achava que o governo carecia de mais tempo para reunir toda a informação relevante e para formular um plano eficaz de implantação da gratuidade do transporte por ônibus se realmente fosse o caso. Mas confiava na intuição política de Luiza Erundina e me deixei entusiasmar pela radicalidade e ousadia da proposta – ela permitiria colocar em discussão a redistribuição da renda via erário público de forma concreta e insofismável. Agora, quatro anos depois, continuo achando que estávamos certos e que a campanha pela tarifa-zero representou o auge político de nossa administração.

A elaboração da proposta

Na verdade, a controvérsia sobre a tarifa-zero revelou muito claramente o relacionamento complicado e relativamente obscuro entre o político e o administrativo. Desse último ponto de vista, a proposta era excessivamente improvisada. Quando se decidiu incluí-la no projeto de OP-91, Amir Khair (secretário municipal de Finanças) e sua equipe ficaram encarregados de formular um novo imposto ou taxa para financiá-la. Os técnicos progressistas da área já vinham defendendo a criação de um tributo a ser pago pelas empresas que se beneficiavam do transporte público, tendo em vista subsidiá-lo. O argumento era de que as empresas tiravam proveito do transporte público ao empregar trabalhadores que dependiam dele para se locomover entre suas casas e o serviço. Amir e seus técnicos não tardaram em descobrir que o almejado tributo não poderia ser criado por falta de base jurídica. O artigo 154 da Constituição estabelece que novos tributos "sejam não cumulativos e não tenham fato gerador ou base de cálculo próprios dos discriminados nesta Constituição". Ora, não se dispunha de qualquer fato gerador ainda não aproveitado para o imposto pretendido.

Se o imposto fosse a contrapartida da vantagem usufruída por empresas da disponibilidade de transporte público para seus empregados, então deveria ser proporcional ao número destes, ou seja, ao valor de suas folhas de pagamento. Acontece que estas últimas já são gravadas pelas contribuições previdenciárias, de modo que não se poderia utilizá-las como base de cálculo para o novo tributo. Além disso, já existia o vale-transporte, que é um subsídio ao transporte dos trabalhadores de baixos salários. Na impossibilidade de propor um novo imposto, não sobrou outra alternativa à equipe das Finanças que a de ampliar as alíquotas do IPTU, de modo que a sua receita pudesse cobrir o gasto com a tarifa-zero. Como o grosso do IPTU era pago pelas empresas que possuíam os edifícios de terrenos vagos e de moradias de alto luxo, os propósitos redistributivos da proposta eram atendidos.

Também no referente à estimativa do tamanho da frota necessária para atender à demanda gerada pela gratuidade do transporte foi impossível evitar a improvisação. O cálculo presumia que a demanda adicional seria constituída pela metade das viagens feitas a pé, por um quarto das viagens feitas por automóvel, metade das viagens feitas por metrô e por ferrovias, metade das viagens feitas em ônibus intermunicipais (que continuariam cobrando tarifa) e metade das viagens feitas em ônibus fretados, do que resultaria um aumento de 150% do número de viagens que então se faziam nos ônibus tarifados. A frota adicional necessária foi calculada em função das viagens na *hora do pico*, que se estimou que subiriam de 400 mil para um milhão. Resolveu-se, além disso, reduzir a lotação dos ônibus na hora do pico de 111 para 80 passageiros. Um milhão de passageiros a 80 por veículo seriam transportados por 12.500 ônibus; como a frota existente era de 8.000, seria necessário ampliá-la em mais 4.500.

A proposta era de implantar a tarifa-zero gradativamente a partir do 2º semestre de 1991 admitindo que durante o 1º semestre se construiriam a frota adicional e as garagens e terminais necessários para operá-los. Para 1992, a proposta previa a redução adicional da lotação dos ônibus na hora do pico para 70, além do crescimento da demanda em 5%, o que iria exigir um acréscimo à frota de mais 2.500 veículos. Em suma, a implantação total da tarifa-zero, juntamente com a humanização do transporte, evitando que os ônibus continuassem superlotados de manhã e ao entardecer, deveria exigir a quase duplicação da frota em cerca de dois anos. O caráter revolucionário da proposta se evidenciava no fato de que essa enorme ampliação não acarretaria a duplicação do gasto, pois a tarifa-zero permitiria evitar despesas e aumentar a eficiência do sistema.

A despesa com a arrecadação de tarifas correspondia a nada menos que 24% do custo total, que seriam economizados com a tarifa-zero. Além disso, a tarefa-zero permitiria racionalizar os percursos, seccionando os muito longos de modo a utilizar veículos menores em linhas alimentadoras de linhas troncais e nestas colocando ônibus de maior capacidade. Sem a tarifa-zero, o seccionamento exigiria que os passageiros pagassem duas passagens. Tornando o transporte gratuito para o usuário, o sistema poderia ser racionalizado com viagens sendo feitas aos passageiros. Esperava-se desse modo reduzir em 17% o percurso médio anual por ônibus, o que permitiria uma economia proporcional de salários de motoristas, gastos com combustível, pneus e desgaste dos veículos.

A proposta de tarifa-zero para o ônibus acabou tendo seu custo aumentado pelo fato de que os outros modos de transporte coletivos continuaram sendo tarifados, o que desviaria parte da demanda por estes para os ônibus tornados gratuitos. Se a tarifa-zero fosse adotada pelo metrô, ferrovias e ônibus intermunicipais também, o número de viagens de ônibus na hora do pico seria 866.666, que poderia ser realizada por 10.833 veículos com 80 passageiros cada um. A expansão da frota teria de ser de apenas 2.833 veículos em vez dos 4.500 previstos. Portanto, a proposta de tarifa-zero implicava também o subsídio de munícipes que usavam outros modos de transporte popular.

A discussão da proposta fora do governo

Uma vez elaborada a proposta de tarifa-zero em suas linhas gerais, Luiza Erundina submeteu à bancada situacionista e à direção do PT. Houve naturalmente resistências, mas a grande maioria apoiou a ideia. O apoio foi particularmente entusiástico no PT, que ansiava por gestos e posturas mais radicais de seus governos. Um projeto para tornar o transporte coletivo em sua maior parte gratuito para os usuários, colocando o ônus sobre os ombros dos proprietários mais ricos de imóveis da cidade, correspondia com perfeição aos anseios de redistribuição da maioria dos petistas. Os outros partidos que davam apoio à administração também aprovaram a tarifa-zero. Criou-se um comitê de luta pela tarifa-zero ao redor do qual se aglutinaram os movimentos sociais urbanos, que trataram de levar a discussão aos diretamente interessados, os moradores empobrecidos da periferia.

Uma vez encaminhada a proposta à Câmara, o debate se estendeu à sociedade em geral. Dada a animosidade da grande imprensa, foi uma surpresa agradável ler um editorial da *Folha de S. Paulo* que acolhia com simpatia a proposta da tarifa-zero como sendo afinal algo de novo e original, além de socialmente justo, provindo de um governo que o jornal considerava medíocre e desprovido de ousadia. Em compensação, uma conferência de peritos progressistas de transporte coletivo tornou-se palco de críticas acerbas à tarifa-zero. Assisti ao debate pasmo, pois tinha imaginado que a grande maioria, defensora do transporte coletivo público e subsidiado, aderisse a propostas entusiasticamente. A maior crítica era que o imposto ou taxa de transporte tinha sido omitido (sem que os críticos tivessem resposta para as objeções jurídicas para a criação de tal tributo), e que a tarifa de ônibus deveria ser subsidiada, mas não abolida. A argumentação contra a tarifa-zero pareceu-me totalmente inconsistente. Dava a impressão de que apenas racionalizava a indignação de peritos que há anos defendiam determinada linha e de repente, sem terem sido consultados antes, a principal prefeitura de esquerda do país vinha com outra. Que essa outra pudesse atingir os mesmos objetivos apenas com maior radicalidade não lhes importava. Tinham sido eles os porta-vozes do PT e de outros partidos de esquerda por longos anos e possivelmente pensavam que a tarifa-zero, lançada sem discussão prévia pelo governo paulistano e pelo PT, os desmoralizava. Mantiveram-se fiéis às propostas originais, embora naquele momento estivessem totalmente superadas pela tarifa-zero.

A prefeita Luiza Erundina convidou as principais lideranças empresariais do Estado, os presidentes da Federação das Indústrias (FIESP) e da Federação do Comércio (FCESP) para debater em seu gabinete a proposta de tarifa-zero com os secretários diretamente envolvidos em sua formulação. Tomei parte na discussão e pude perceber como uma postura ofensiva permite a quem a assume conquistar terreno, obrigando o adversário a ceder anéis para salvar os dedos. Os presidentes da FIESP e da FCESP se declararam contrários à tarifa-zero por uma questão de princípio: eram favoráveis ao regime de mercado e portanto que a procura por cada bem ou serviço fosse limitada por um preço a ser pago por quem desejasse adquiri-lo. Temiam que a gratuidade do transporte coletivo acabasse por arruiná-lo ao torná-lo disponível aos vadios e desocupados. Mas, enfatizaram, nada objetavam quanto à elevação do IPTU, desde que os recursos arrecadados fossem aplicados na expansão dos serviços públicos, especialmente a educação. Mais tarde, quando a batalha pela reforma tributária estava se realizando na Câmara, Luiza Erundina se dirigiu a ambos para cobrar-lhes a palavra empenhada.

Quando a proposta de tarifa-zero estava tramitando na Câmara e encontrando grande oposição por parte das bancadas não situacionistas, a prefeitura lançou uma campanha pela TV, visando esclarecer a opinião pública sobre a questão. As peças publicitárias, excepcionalmente bem-feitas, enfatizavam o efeito benéfico da tarifa-zero sobre o orçamento familiar dos mais pobres. O personagem era um bebê que não usava ônibus, mas que se privava de muita coisa para que seus pais e irmãos pagassem a tarifa. Por isso agradecia aos defensores da tarifa-zero as coisas (alimentos e brinquedos) de que poderia usufruir caso a proposta fosse aprovada. Não dá pra saber se foi por causa da campanha pela TV ou da agitação promovida pelos movimentos populares, mas a opinião pública aderiu por maioria folgada à da tarifa-zero.

Em dezembro de 1990, o instituto Toledo & Associados realizou, a pedido da prefeitura, pesquisa de opinião sobre a tarifa-zero em São Paulo, tendo averiguado que 65,3% eram a favor da proposta, 27,6% eram contra e 7% não sabiam responder. Digno de nota é que nada menos de 82,4% dos entrevistados sabiam que a aplicação da tarifa-zero exigiria um aumento do IPTU. A maioria dos que apoiavam a proposta não estavam iludidos de que ela sairia de graça (Fábio Cypriano, *A comunicação na contra-mão: a tarifa-zero como estudo de caso*, dissertação de mestrado, aprovada no Departamento de Comunicação e Semiótica da PUC/SP, 1995).

A Câmara Municipal rejeita a tarifa-zero

O debate da proposta orçamentária para 1991 coincidiu com a perda da maioria parlamentar pelo governo de Luiza Erundina. Em inícios de 1989, formara-se uma maioria que elegera a mesa da Câmara, presidida pelo vereador Eduardo Suplicy, o mais votado dos edis. A partir de então, as bancadas situacionistas em geral haviam conseguido aliados entre os vereadores "independentes" para aprovar os projetos mais importantes para a administração. Mas a situação mudou no último trimestre de 1990, quando nova mesa foi eleita. Duas chapas disputaram o pleito e, para a surpresa geral a da oposição, presidida pelo vereador Arnaldo Madeira, foi a vencedora. Deste momento em diante, consolidou-se uma frente oposicionista de janistas, malufistas, peemedebistas e tucanos que em geral detinha a maioria. Raramente o governo conseguia aprovar algum projeto sem tê-lo negociado previamente com a oposição. Projetos que não contavam com algum apoio das bancadas oposicionistas sequer chegavam a ser apreciados pelo plenário, a não ser que a sua rejeição fosse julgada politicamente proveitosa.

Tão logo a oposição se viu em maioria, deixou claro que em hipótese alguma aprovaria a tarifa-zero. O que significava sua rejeição sem que tivesse havido qualquer tentativa de negociação e sem que a maioria em plenário se desse ao trabalho e ao desgaste de votar contra. O projeto de lei instituindo a tarifa-zero foi engavetado, e a proposta de orçamento-programa para 1991 teve as verbas destinadas ao subsídio do transporte coletivo fortemente reduzidas. Em compensação, as alíquotas do IPTU foram aumentadas para o exercício de 1991, embora obviamente não na proporção solicitada pelo Executivo. A esse respeito, a oposição se dividiu e um grupo de vereadores "independentes", de diversas bancadas, negociou a reforma tributária com os secretários do Governo, das Finanças e do Planejamento. Estou convicto de que o recuo da oposição se deveu em boa medida ao impacto da proposta da tarifa-zero na opinião pública.

A ideia da tarifa-zero é uma derivação da proposta de renda básica garantida, cuja justificativa é a ideia de que a satisfação de necessidades essenciais deva ser garantida a todos pela coletividade, por duas ordens de motivos: primeiro por solidariedade: se parte da coletividade dispõe de meios muito mais abundantes do que precisa para satisfazer suas necessidades, parte deles deve ser destinada obrigatoriamente a evitar que outros sofram por não poder satisfazer suas necessidades básicas; e segundo por interesse coletivo, pois, se os pobres não conseguem sequer levar uma vida minimamente normal, é provável que se tornem menos produtivos e no limite a tensão crescente coloque em risco o convívio social. Assim se justifica que sejam gratuitos e disponíveis a todos (e não apenas aos que carecem de dinheiro) o ensino escolar público, a assistência pública à saúde, a iluminação pública, o serviço de trânsito, de policiamento etc. Mais cedo ou mais tarde, o transporte coletivo nas grandes metrópoles acabará sendo incluído nesse rol.

A proposta de municipalização do transporte coletivo

Outra consequência da batalha pela tarifa-zero foi o rompimento do impasse acerca da regulação jurídico-administrativa do sistema de ônibus em São Paulo. Esse sistema era concedido à CMTC, que operava apenas 30% dele e subcontratava os restantes 70% a 33 empresas privadas.

Como já foi visto no capítulo 5,[2] a rentabilidade do transporte de passageiros por quilômetro variava acentuadamente entre as áreas exploradas por cada uma dessas empresas. A diferença resultava basicamente do número de passageiros que pagavam a tarifa por quilômetro percorrido. Em linhas rentáveis, que geralmente percorriam as áreas mais centrais da cidade, a maioria dos passageiros faz trajetos relativamente curtos, sendo rapidamente substituídos por outros dentro dos veículos, de modo que entre o ponto inicial e o final cada um deles transporta várias vezes a sua lotação total. E em linhas não rentáveis, que geralmente partiam de pontos muito afastados da periferia, os passageiros que embarcam no ponto inicial ficam quase todos até o final, de modo que cada veículo transporta no máximo uma vez a sua lotação.

Para uniformizar a rentabilidade, seria preciso cobrar tarifa por seções, como é feito no Rio de Janeiro e em outras cidades: o passageiro paga um valor proporcional à distância pela qual é transportado. Mas esse sistema redistribui o ônus de forma perversa, pois o gasto maior recai sobre o passageiro que mora na periferia, cujo poder aquisitivo é o menor. A tarifa única, tradicionalmente adotada em São Paulo, implica em subsídio cruzado: o passageiro que mora na área mais central paga uma parte do custo do transporte do passageiro da periferia. Mas a tarifa única não pode ser inferior ao custo médio do transporte do passageiro da empresa que explora a área menos rentável, pois se não for assim ela teria sistematicamente prejuízo até quebrar. Essa tarifa única, que torna minimamente rentável a subcontratada com a pior área, proporciona lucros extraordinários às empresas que servem áreas com rentabilidade acima da média. Em outras palavras, o sistema de áreas fixas de subcontratação de diversas empresas frustra o subsidiamento cruzado, que só pode ocorrer dentro de cada uma das 33 áreas, mas não entre elas.

Quando prefeito, Mário Covas tentara resolver o problema por meio de um projeto de lei que instituía uma câmara de compensação entre as empresas de transporte por ônibus, com a missão de equalizar a rentabilidade de todas elas. Nessa ocasião, "com base nas experiências desenvolvidas em Diadema, Fortaleza e nos movimentos populares de transportes e tendo por referência a remuneração do serviço por

---

[2] Não incluído nesta coletânea. (N. do Org.)

quilômetro rodado, adotada em Curitiba, o Conselho de Transportes elaborou, em assessoria à bancada de vereadores do Partido dos Trabalhadores, um projeto substitutivo [... que] continha as bases conceituais e políticas do modelo de municipalização, que foram incorporadas ao programa de governo da prefeita Luiza Erundina de Souza, elaborado em sua campanha eleitoral".[3]

O modelo de municipalização do PT previa a abolição das 33 áreas de exploração do serviço de ônibus por empresas privadas. O serviço de ônibus voltaria a ser prestado em toda a cidade pela empresa municipal, a CMTC, a qual alugaria ou arrendaria frotas e operadores das empresas privadas. Toda a receita tarifária passaria a pertencer à CMTC, a qual remuneraria as empresas privadas em proporção aos custos incorridos por elas, medidos principalmente pela distância percorrida pelos números de passageiros transportados. Deste modo, a rentabilidade de cada empresa seria a mesma, ou seja, proporcional ao capital investido nas frotas arrendadas à CMTC. O subsidiamento cruzado funcionaria em toda a cidade, e a tarifa teria que cobrir o custo médio de toda frota em operação e não o da frota da área menos rentável, o que deveria permitir reduzir consideravelmente a tarifa, à custa naturalmente da lucratividade extraordinária das empresas que antes dispunham das áreas mais rentáveis.

A diversidade das planilhas de custo

Como os contratos das empresas privadas permissionárias com a CMTC estavam vencidos desde 1986, não deveria ser difícil implantar o novo sistema. Mas na realidade não foi assim. Como já foi visto nos capítulos anteriores, a fixação da tarifa em condições de inflação elevada e incerteza quanto aos custos efetivos estava sujeita a pressões consideráveis, e no início da gestão de Luiza Erundina tendera a um valor que impedia haver rentabilidade positiva das empresas exploradas das linhas menos rentáveis. Estas tentavam se salvar cortando custos selvagemente em detrimento de seus próprios empregados e passageiros por meio da retirada de veículos do serviço, o que acarretava

---

[3] SMT. *Municipalização dos ônibus da cidade de São Paulo*. São Paulo, 1992, p. 31.

a superlotação extrema dos ônibus. Com isso o custo por passageiro era reduzido ao mínimo, assim como a vida útil dos veículos. Quando essa estratégia se esgotava e o serviço entrava em colapso, a CMTC era obrigada a intervir na empresa para assegurar a regularidade do serviço. O prejuízo passava a ser dos cofres municipais, até que a empresa pudesse ser desenvolvida aos seus donos ou entregue a novos empresários que tivessem adquirido a massa quase falida.

A única maneira de viabilizar a operação rentável dessas empresas com a tarifa relativamente baixa adotada pela prefeitura era mudar o contrato com a adoção do modelo de municipalização anteriormente exposto. A partir de janeiro de 1991, foram fechados contratos desse tipo com 19 das 33 empresas permissionárias, que passaram a ser remuneradas por quilômetro percorrido e secundariamente pelo número de passageiros transportados, tendo assegurada uma rentabilidade proporcional ao capital investido na frota. Para poder operar esse sistema, era necessário que a planilha de custo do transporte fosse aceita pelas duas partes. Vimos no capítulo 5 que esta questão era uma das causas da divergência entre a administração municipal e as empresas permissionárias e só foi ser resolvida posteriormente no Conselho Municipal de Tarifas. Agora chegou o momento de recontar este episódio em seus detalhes, por ser muito rico de ensinamentos.

A planilha de custos de que dispunha a CMTC fora elaborada durante a gestão de Mário Covas, quando a prefeita interveio nas empresas de ônibus, assumindo sua operação por algum tempo. Pôde assim assenhorar-se das informações necessárias para calcular a planilha de custos de forma isenta e competente. A Transurb, entidade representativa das empresas privadas de ônibus, apresentou outra planilha de custos, sustentando não ser a correta. É claro que a planilha da Transurb apontava custos por passageiros bem mais elevados do que a da CMTC, o que no início do governo atribuímos logicamente a discrepância ao autointeresse das empresas que formavam a Transurb tendente a exagerar o custo para justificar uma tarifa mais alta. Mas em pouco tempo a piora da qualidade do serviço decorrente do corte selvagem de custos e o colapso das empresas que exploravam linhas na periferia pouco rentáveis nos fizeram suspeitar que a tarifa que estávamos praticando poderia estar abaixo do mínimo necessário para preservar o sistema. E se assim fosse, a planilha da CMTC estaria com um viés para baixo enquanto a da Transurb apresentaria viés oposto.

O COMTAR – Conselho Municipal de Tarifas

Para enfrentar essa problemática e outras semelhantes, no cálculo, por exemplo, das tarifas de táxi ou da remuneração das empresas coletoras de lixo, submeti à prefeita o projeto de criação de um Conselho Municipal de Tarifas. A ideia era criar um foro composto por representantes dos setores interessados (inclusive da Transurb), dos grandes setores organizados da sociedade civil (trabalhadores e empresários), da Câmara Municipal e de entidades detentoras da capacidade técnica para acompanhar custos e assessorar a prefeitura nesse campo. Nessa condição, propus a participação do Departamento Intersindical de Estatística e Estudos Socioeconômicos (DIEESE), da Fundação Instituto de Pesquisas Econômicas (FIPE) da Universidade de São Paulo, do Centro Brasileiro de Análise de Planejamento (Cebrap) e do Centro de Estudos de Cultura Contemporânea (Cedec), além do Conselho Regional de Economia de São Paulo. Integrariam ainda o COMTAR vários secretários do governo municipal. A prefeita aprovou a proposta e formalizou mediante decreto a criação do Conselho Municipal de Tarifas (COMTAR), a ser presidido por ela própria e secretariado por mim como secretário de Planejamento.

O COMTAR foi uma inovação institucional de peso. Constituiu um amplo foro de negociação de questões vitais para a cidade, em que a contraposição de interesses públicos e privados, gerais e setoriais interagia com dados concretos, indicadores de limitações objetivas que a vontade política não poderia violentar sem frustrar os seus próprios objetivos. Desde o início de seu funcionamento, no segundo semestre de 1989, o COMTAR adotou como princípio que suas deliberações seriam tomadas por votos, que tanto os pareceres majoritários como os minoritários seriam enviados à prefeita e que ele se ocuparia de questões de procedimento, como o exame de planilhas de custo, o delineamento de políticas tarifárias e semelhantes, mas não o exame de questões pontuais e concretas, como o reajuste mensal de tarifas de qualquer natureza.

Entendia-se que estas últimas dependiam de considerações políticas e econômicas de curto prazo (em função da elevadíssima inflação brasileira) que extrapolavam a competência do COMTAR. Desta última resolução discordou o representante da Câmara Municipal, vereador Marcos Mendonça, por ocasião do primeiro reajustamento da tarifa de ônibus após a instalação do COMTAR, por entender que o reajustamento tinha de ser obrigatoriamente submetido ao Conselho e chegou a recorrer ao Judiciário contra o referido reajuste. Tendo perdido o recurso, o vereador passou a se recusar a comparecer às reuniões do COMTAR, sendo substituído por outro vereador.

A primeira questão enfrentada pelo COMTAR foi a unificação das planilhas do transporte coletivo. Foi inicialmente encarregado do seu exame o jovem economista Christian Andrei, que representava o Cebrap no COMTAR; no parecer que ele elaborou, as duas planilhas eram comparadas minuciosamente, item por item, e as razões das discrepâncias eram apontadas. Estava assim delineado o caminho técnico para a sua unificação. O COMTAR formou um grupo de trabalho composto por assessores técnicos da CMTC e da Transurb, além de economistas do plenário do Conselho, que aprofundou o exame das discrepâncias até chegar a conclusões consensuais. Como resultado, o GT elaborou uma nova planilha de custos do transporte coletivo, a meio caminho entre a da CMTC e a da Transurb, e contava com a adesão das duas partes. O plenário do COMTAR só teve o trabalho de aprovar a nova planilha, que se tornou o fundamento da política tarifária da prefeitura daquele momento em diante e da municipalização do transporte coletivo.

Cabe acrescentar ainda que o conselho atuou em questões como a reformulação das tarifas de taxi, proporcionando aos motoristas remuneração mais condigna, e a revisão dos contratos de coleta de lixo, cuja planilha de custos continha várias taxas superpostas de remuneração do investimento. Após amplo debate com participação de representantes das empresas contratadas, o COMTAR recomendou por unanimidade a eliminação das cláusulas redundantes, do que resultou significativo barateamento do serviço para o poder público. Finalmente, intermediou a negociação das tarifas pagas aos bancos pela cobrança do IPTU e taxas municipais, desempenhando mais uma vez papel relevante.

A lei de municipalização do transporte coletivo

Embora mais da metade das empresas privadas de ônibus já operassem no regime de municipalização mediante contratos emergenciais de um ano, a extensão desse regime ao conjunto do sistema requeria que nova lei fosse aprovada, a partir da qual se abriria uma concorrência para contratar as empresas vencedoras. Só assim elas ampliaram suas frotas, o que permitiria melhorar decisivamente o atendimento dos usuários. A administração já enviara projeto de lei de municipalização do transporte coletivo à Câmara em fevereiro de 1990, mas sua tramitação estava prejudicada pelo evidente desinteresse das oposições em apreciá-lo. É provável que, além de má vontade política, a oposição também estivesse motivada pelas empresas privadas que exploravam linhas de alta rentabilidade. Essas empresas continuavam tendo lucros apreciáveis, mesmo quando a tarifa dava prejuízos às demais, e é óbvio que elas não queriam perder suas posições privilegiadas em troca de uma municipalização que interessava mais às outras empresas, ao público usuário e à administração.

O impasse foi rompido em função do boicote da maioria oposicionista do Legislativo à proposta de tarifa-zero. O boicote custou caro à oposição perante a opinião pública que majoritariamente tinha simpatia pela proposta. Isso tornava impossível continuar boicotando também a proposta de municipalização, pois a oposição acabaria sendo responsabilizada pela deterioração da qualidade do serviço de ônibus. Assim, em início de 1991, começou-se a negociar a sério um substitutivo ao projeto de lei do Executivo. Participaram da negociação os líderes do governo, das bancadas situacionistas e oposicionistas no Legislativo, o secretário municipal de Transporte e o presidente da CMTC. As empresas foram representadas diretamente pelos vereadores que haviam elegido. Foi um processo extremamente árduo, pois as empresas permissionárias estavam divididas, as mais privilegiadas relutando em abrir mão de seus "direitos" e se opondo ao remanejamento geral das linhas: os vereadores mais opostos à administração Luiza Erundina não desejavam conceder-lhe poderes para reorganizar completamente o sistema e ampliar a frota de ônibus; e a administração estava disposta a fazer concessões quanto aos detalhes, contanto que os princípios e as metas de municipalização pudessem ser integralmente atingidos.

Finalmente, em maio de 1991, a Câmara Municipal aprovou o substitutivo apresentado por vereadores da oposição, que se tornou a lei nº 11.037. Como acontece quase sempre, as alas mais extremadas dos dois lados ficaram insatisfeitas. Na bancada do PT, assim como na Executiva do Diretório Municipal, vozes se levantaram contra o acordo, principalmente contra o prazo relativamente longo de duração dos novos contratos, considerado necessário pelos empresários para que pudessem fazer os investimentos requeridos para a ampliação da frota. Normalmente, um contrato deve vigorar durante o tempo necessário à amortização do investimento. Acontece que parte do PT se aferrava à proposta de estatização do sistema de ônibus que constava no programa de governo e com a qual todos estavam de acordo, em princípio. Esses petistas concordavam com a municipalização apenas com um passo em direção à estatização, e o prazo de oito anos lhes parecia longo demais entre o passo inicial e o final. Já no governo estávamos convencidos de que as finanças municipais não permitiram cogitar seriamente a estatização do transporte coletivo por muito mais tempo que a duração prevista dos contratos. No final prevaleceu a razão e o substitutivo negociado foi aprovado pela bancada e pelo partido.

Do lado da oposição, o inconformismo se manifestou sob a forma de emendas que contrariavam o que tinha sido acordado. Três delas acabaram sendo aprovadas. Uma limitava a troca de linhas entre a CMTC e as empresas privadas a 10% do total. Outra garantia remuneração integral às operadoras privadas em dias de greve dos condutores. E a terceira limitava o acréscimo previsto à frota a mil veículos em lugar dos dois mil acordados. A prefeita Luiza Erundina vetou esses dispositivos, e em outubro de 1991 o plenário da Câmara aprovou por maioria absoluta os três vetos. Também na oposição acabou prevalecendo a razão contra os que pretendiam favorecer os interesses privados, em detrimento do público.

A implantação do novo sistema

Tão logo a lei foi aprovada, começaram-se a preparar as concorrências. Todas as linhas foram redimensionadas através de um levantamento de itinerários, extensões e tempos de viagens, sendo redefinidos todos os horários de partida. A frota a ser contratada foi dividida em 40 lotes, planejados de modo a eliminar os déficits de lugares e fazer com que em toda a cidade a quantidade de veículos correspondesse ao máximo ao número de usuários. Em 2 de setembro, foram lançados 40 editais com prazo até 15 de outubro para a entrega de propostas. Entre as condições impostas estava o acréscimo global de dois mil novos ônibus, dos quais a metade deveria entrar em operação até março de 1992 e a outra metade até o fim daquele ano.

As concorrências transcorreram normalmente, e as empresas vencedoras foram contratadas entre janeiro e março de 1992. Feitas as contas, o revolucionamento do sistema de transporte coletivo consumia mais de três quartos da gestão de Luiza Erundina. Finalmente, no dia de aniversário da cidade do último ano do mandato, a prefeita pôde entregar à cidade mil novos ônibus, que formaram gigantesco cortejo anunciador de que talvez o pior problema para os moradores pobres de São Paulo estivesse sendo solucionado. No final daquele ano, a frota total de ônibus em operação havia passado de 8.000 (nível em que permanecia havia 15 anos) para 10.300.

Os resultados da municipalização não se fizeram esperar. A lotação média dos ônibus no horário do pico – talvez o indicador mais pungente da desumanidade do sistema – caiu de 10 passageiros por metro quadrado para 6,67 em março/abril de 1992. Na zona sul da cidade, onde as condições eram as mais terríveis, a lotação média caiu de mais de 12 para menos de 7 passageiros por metro quadrado. Também o tempo de espera dos coletivos diminuiu nitidamente em todas as zonas e, graças à maior disponibilidade de veículos, novas linhas (uma das mais importantes reivindicações dos moradores das periferias) puderam ser criadas: 18 no primeiro semestre e 25 no segundo do último ano de governo.

Desse modo, cumpriu-se a meta de governo que Luiza Erundina definira repetidamente como sendo "prioridade zero". Do ponto de vista da administração petista, empenhada em inverter prioridades e redistribuir renda, outra vantagem da municipalização era a de possibilitar o subsidiamento da tarifa. No sistema anterior, somente a empresa de propriedade do município – a CMTC – podia ser subsidiada, sendo que as empresas privadas só podiam ser remuneradas pela receita tarifária. Isso impunha à prefeitura o seguinte dilema: ou reajustava continuamente o valor da tarifa pelo aumento do custo do serviço, medido pela planilha, com o risco de exceder o poder aquisitivo do usuário; ou reduzia o valor da tarifa abaixo do custo, forçando as empresas privadas a reduzir seus custos, sempre em detrimento do passageiro ou do empregado. No sistema municipalizado, a prefeitura passou a pagar às empresas privadas o custo total do serviço prestado efetivamente pelo seu pessoal e pela sua frota, calculado em duas parcelas: a) 80% do pagamento total em proporção à distância percorrida; e b) apenas 20% em proporção ao número de passageiros transportados. A receita tarifária pode portanto ser fixada independentemente do custo do passageiro transportado, sendo integralmente repassada pelas empresas privadas ao erário municipal via CMTC. A ênfase maior na quilometragem percorrida teve como finalidade eliminar o incentivo do sistema anterior no qual o empresário ganhava diretamente com a superlotação dos veículos. Procurou-se incentivá-lo a maximizar a oferta, mesmo que muitos veículos estivessem transportando relativamente pouca gente.

A esse respeito, o desempenho inicial da municipalização deixou algo a desejar. O custo total do subsídio ao sistema de ônibus pelo Tesouro municipal aumentou algo em 1992, ou seja, justamente no exercício em que a administração petista contou com menor receita própria. Dada a escassez geral de dinheiro, o gasto maior com o sistema de municipalização pesou fortemente na execução orçamentária, ao impor a compressão ainda maior das despesas dos outros setores. Multiplicaram-se as queixas no seio do governo de que grande parte da frota de ônibus estava quase o tempo todo andando vazia, num desperdício altamente visível. De fato, no horário de pico podia se ver, em geral no contrafluxo, filas imensas de ônibus vazios percorrendo lentamente as principais vias da cidade.

Tratava-se obviamente de falha de planejamento. Na ânsia de atender à demanda e reduzir drasticamente os índices de superlotação, a CMTC deve ter superdimensionado as frotas no primeiro momento. A falha também se explica em parte pela diminuição da demanda por transporte coletivo, tanto em 1991 como em 1992. Em 1992, o número de passageiros transportados pelo metrô e por ônibus intermunicipais também caiu. O relatório da Secretaria Municipal de Transportes atribuiu a queda à recessão: "A queda do número de passageiros transportados reflete em grande nitidez o que se convencionou denominar 'década perdida'. Passada toda a década de 80, retomam-se agora os mesmo níveis de demanda existentes no início daquela década. Não há dúvida que a forte recessão econômica em curso afeta a mobilidade da população; seja pelo aumento do desemprego, seja pela redução do poder aquisitivo".[4]

A operação do sistema municipalizado de ônibus exige um aprendizado que a administração de Luiza Erundina simplesmente não teve tempo de fazer. Houve no decorrer de 1992 reduções localizadas de frotas, mas o ajustamento da oferta de veículos à demanda deixou a desejar. Paulo Maluf, que sucedeu Erundina na prefeitura, resolveu liquidar rapidamente a municipalização, pois suas prioridades evidentemente eram outras. Um epílogo decepcionante.

---

[4] SMT. *Municipalização dos ônibus da cidade de São Paulo.* São Paulo, 1992, p. 59.

Conflitos pelo uso do solo urbano[1]

A Comissão Normativa da Legislação Urbanística

Entre minhas responsabilidades de secretário municipal de Planejamento estava a de presidir a CNLU, Comissão Normativa da Legislação Urbanística, antiga Comissão de Zoneamento, encarregada de dirimir dúvidas e arbitrar divergências referentes a interpretação e aplicação da legislação urbanística. Trata-se do conjunto de leis que regulam o uso do solo no município, tendo em vista a natureza, o tamanho e outras características da construção que pode ser erguida em cada lote. Como o uso dado ao solo urbano gera efeitos externos, positivos e negativos, para os que moram, trabalham ou meramente circulam na vizinhança, as limitações legais ao referido uso têm por finalidade preservar a qualidade de vida em todas as áreas da cidade.

Cedo aprendi que a principal preocupação dessas leis é o adensamento populacional nas diversas regiões e sub-regiões da metrópole. Quanto maior a densidade dos que moram ou trabalham em determinado segmento do espaço urbano, tanto maior será o uso das vias públicas e seu congestionamento, a utilização das redes de água, esgoto, energia elétrica e telefone e sua saturação. Para o morador ou o trabalhador, a densidade representa um ônus, à medida que dela decorre maior competição pelo uso de espaço público e de serviços públicos, cuja oferta é sempre limitada.

Em compensação, para o proprietário imobiliário o adensamento valoriza o solo em que ele pode se dar, pois multiplica o número

---

[1] Publicado originalmente em: SINGER, P. I. *Um governo de esquerda para todos. Luiza Erundina na prefeitura de São Paulo (1989-1992)*. São Paulo: Brasiliense, 1996, p. 161-193. (N. do Org.)

de usuários que podem pagar aluguel ou que compram uma fração ideal do terreno. O adensamento também reduz o custo do espaço construído, pois faz caber mais metros quadrados de construção numa mesma área de terreno, e representa um ganho para o construtor, que pode produzir e vender mais apartamentos, escritórios, lojas ou garagens num mesmo terreno. O adensamento também favorece ainda o morador pobre, incapaz de manter automóvel para vencer as distâncias às vezes consideráveis dentro da metrópole. Para o pobre, é vital morar o mais perto possível do local de trabalho e dos serviços que utiliza e é vital morar barato, por motivos óbvios. O adensamento é a única maneira de conciliar as duas exigências, pois torna acessível residir em zonas bem servidas aos que dispõem de poucos recursos. Os cortiços, muitas vezes localizados em antigas zonas residenciais que dispõem de todos os serviços, demonstram a importância que o adensamento assume para o morador pobre: este se sujeita a habitar em aposentos minúsculos, nos quais famílias inteiras se apinham em condições sub-humanas, desde que esteja próximo do serviço, da escola das crianças e possa pagar o aluguel.

Há aí um claro conflito de interesses, sobretudo entre os moradores antigos em áreas privilegiadas no que tange ao acesso a serviços e os proprietários de imóveis nessas mesmas áreas e que não moram nelas. O adensamento estragaria a qualidade de vida dos primeiros, porém elevaria o valor das propriedades dos últimos. Além disso, o adensamento favorece camadas de rendimentos modestos, que gostariam de poder residir em tais áreas e usufruir os privilégios que elas proporcionam.

Como geralmente acontece, conflitos de interesses tendem a se camuflar em ideologias a respeito do que seria a densidade ideal de ocupação do espaço urbano ou a distribuição ideal de densidades, tendo como critério algo tido como o "bem comum", muito difícil de definir em situações como essa. Para delimitar o conflito ideológico, que no dia a dia da construção e da utilização da cidade se transmuta em muitos entrechoques específicos, vamos imaginar que ele se trave entre dois posicionamentos polares: os pró e os contra o adensamento. Os primeiros entendem que o progresso da cidade exige a sua verticalização, a renovação periódica de suas edificações e a perene expansão de sua infraestrutura, compreendendo que a dinâmica da cidade inevitavelmente transforma alamedas residenciais em corredores de intensa circulação, bairros de mansões em centros comerciais ou áreas de cortiços, regiões de casinhas geminadas em áreas mistas em que arranha-céus se mesclam com construções horizontais. Os segundos encaram essas tendências de transformação com horror, atribuindo-nas à insaciável ambição dos especuladores e enxergando seus resultados como uma cidade sem alma, sem passado, sem tradição e sem beleza. Resistem ao adensamento para preservar determinados bairros "verdes", cuja vegetação consideram verdadeiros pulmões pelos quais toda a cidade respira.

Esses dois posicionamentos polares são apenas parâmetros para visualizar uma quantidade ponderável de discussões e conflitos que se sucedem no tempo e se distribuem no espaço da cidade. No início dos anos 1970, para aparentemente ordenar o desdobramento espacial das construções de São Paulo, foi aprovado um Plano Diretor, que dispôs a divisão da cidade em zonas homogenísticas adequadas a suas circunstâncias. Para elaborar as regras e normas de aplicação dessa legislação criou-se a Comissão de Zoneamento, composta por representantes de setores ligados a construção civil, arquitetura, engenharia etc. e por membros do governo municipal. Mais ou menos ao mesmo tempo, a comissão do Plano Diretor e da legislação consequente foi transformada na Coordenadoria Geral de Planejamento (COGEP), que acabaria se tornando anos depois a Secretaria Municipal de Planejamento (Sempla). Não por acaso, a Comissão de Zoneamento ficou sediada na Sempla, cujo titular passou a presidi-la e cujo corpo técnico constituiu o suporte profissional dos trabalhos da Comissão.

A Comissão de Zoneamento virou CNLU em fins de 1988 (ou seja, na véspera de nossa posse) em consequência da aprovação do novo Plano Diretor enviado pelo então prefeito Jânio Quadros à Câmara Municipal. A aprovação teria que ser por quórum qualificado, mas acabou ocorrendo por decurso de prazo, um dispositivo inventado pela ditadura militar para superar qualquer veleidade de obstrução parlamentar. De acordo com ele, um projeto do Executivo não apreciado pelo Legislativo em determinado prazo era considerado automaticamente aprovado. Graças ao decurso de prazo, a obstrução, que normalmente seria arma de oposições minoritárias, passou a ser a principal arma das situações, majoritárias ou não. As bancadas governistas negavam quórum para impedir que os projetos do governo fossem apreciados até lograrem sua aprovação integral e sem modificações por decurso do prazo. Para o governo isso era muito melhor que submeter o projeto à discussão e negociação, o que geralmente exigia alguma barganha com a oposição ou com setores da própria bancada situacionista, resultando em substitutivo em muitos pontos diferentes do projeto original.

Acontece que em outubro de 1988 promulgou-se a nova Constituição Federal, que evidentemente acabou com o decurso do prazo, o que aparentemente deveria anular a aprovação por esse método de qualquer projeto de lei a partir daquela data, inclusive do novo Plano Diretor de São Paulo. A questão foi parar no Judiciário, que acabou decidindo que – apesar de tudo – a aprovação do novo Plano Diretor estava juridicamente correta. De modo que, em decorrência da nova lei, a Comissão de Zoneamento virou CNLU e sua composição foi alterada: deixaram de fazer parte dela os representantes da bancadas da Câmara Municipal e em seu lugar passaram a integrá-la mais representantes de setores organizados da sociedade civil, como o Departamento Intersindical de Estatística e Estudos Socioeconômicos (DIEESE), a Central Única dos Trabalhadores (CUT), a Federação das Indústrias do Estado de São Paulo (FIESP), a Federação do Comércio do Estado de São Paulo (FCESP) etc.

A CNLU reunia-se mensalmente, no auditório Padre Lebret da Sempla, com farta agenda de consultas, projetos de lei a serem apreciados antes de serem enviados à Câmara, propostas de operações interligadas (de que trataremos adiante) etc. Apenas pouco mais da metade de seus membros costumava comparecer às reuniões. Da sociedade civil vinham sistematicamente os representantes do Secovi, o sindicato das empresas imobiliárias, do SindusCon, sindicato das empresas de construção civil, da Federação do Comércio, da Federação das Indústrias e os representantes das secretarias municipais de Planejamento, Habitação, Vias Públicas e Negócios Jurídicos. Mais esporadicamente, compareciam os representantes de outras entidades profissionais, como as dos engenheiros, arquitetos e de outros órgãos da municipalidade. Os representantes dos sindicatos de trabalhadores e dos movimentos sociais em geral ficavam ausentes, o que demonstrava a pouca importância que essas entidades atribuíram às questões urbanísticas.

A CNLU era liderada, por assim dizer, por um pequeno grupo de veteranos como Samuel Kon e Ronald Dumani do Secovi,

Alberto Botti da FCESP e Lourdes Costa da Sempla, que participavam do órgão havia muitos anos e tinham tomado parte na elaboração e discussão de grande parte da legislação urbanística em vigor. A experiência e os conhecimentos de pessoas como estas eram indispensáveis para que as decisões da CNLU guardassem coerência com a jurisprudência passada, embora a maioria das questões submetidas à comissão tivesse caráter eminentemente casuístico, dado o caráter único de cada localização específica no espaço da cidade.

A CNLU funcionava muitas vezes como uma espécie de tribunal, encarregado de julgar demandas as mais diversas. Duas que me ficaram na memória foram o enterramento de uma estação transformadora de energia da Eletropaulo numa praça e a aprovação da nova antena da TV Cultura num bairro residencial. O relato dessas duas demandas ilustra um pouco o funcionamento da CNLU e a natureza dos conflitos que se travam pela utilização do espaço urbano.

A disputa pela praça

O caso começou com a solicitação da concessionária de energia elétrica de autorização da CNLU para construir uma estação transformadora subterrânea numa praça na região de Santo Amaro. O local era intensamente utilizado pelos moradores e teria que ficar interditado por pelo menos dois anos, enquanto durasse a construção. Em compensação, a Eletropaulo se comprometia a executar um projeto de melhoria da praça, devolvendo-a em condições mais vantajosas aos moradores. Além disso, a estação asseguraria o suprimento de eletricidade à região.

Quando a questão foi tratada na CNLU, compareceram à sessão representantes dos moradores, que naturalmente se opuseram ao projeto. Os engenheiros da concessionária, também presentes a sessão, argumentaram que a praça era o único terreno público disponível na área em que a estação teria que estar localizada. Os moradores em resposta indicaram diversos terrenos vagos nas proximidades que, ao ver deles, poderiam abrigar a estação. O assunto foi discutido longamente pelos membros da CNLU e por fim se decidiu que a Eletropaulo examinaria as alternativas de localização sugeridas pelos representantes dos moradores para verificar se alguma poderia ser aproveitada, preservando-se os interesses dos usuários da praça.

Após a reunião da CNLU, entrei em contato com o administrador regional de Santo Amaro e sugeri que ele realizasse uma audiência pública em que todas as partes pudessem ser ouvidas, inclusive os que não se tinham feito representar na sessão da CNLU. Eu achava importante que os beneficiados com a construção da estação também fossem ouvidos, pois me parecia que havia uma contraposição entre os interesses de todos os moradores da região – inclusive das empresas que funcionavam nela e dos seus empregados – e os dos residentes na proximidade da praça, que veriam privados de seu uso por algum tempo. Enviei membros do meu *staff* à região para contatar entidades de moradores e averiguar seu ânimo mediante o projeto. O que eles constataram é que havia uma posição bastante determinada à estação naquela praça, mas não fora possível mobilizar entidades que representassem os que se beneficiaram com a sua instalação.

Vários meses depois a questão voltou à pauta da CNLU. O representante da Eletropaulo relatou que os terrenos sugeridos eram particulares, de modo que sua utilização exigiria um processo de expropriação, o qual além de acarretar custos elevados seria extremamente demorado. A experiência demonstrava que processos como esses tramitavam usualmente entre 5 e 10 anos no Judiciário. Uma demora como essa implicaria grande risco no suprimento de energia elétrica à região. Por isso, a Eletropaulo não cogitava a utilização de imóveis particulares, preferindo incorrer nos custos adicionais decorrentes do enterramento da estação. Depois do pronunciamento dos representantes dos moradores, reiterando a oposição à proposta de localizar a estação na praça, a discussão voltou aos membros da CNLU. Eu estava apreensivo, pois não sabia de que lado estaria a maioria do plenário. Um após o outro, os representantes das entidades empresariais e das secretarias foram tomando posição a favor do projeto da Eletropaulo. No final, ele acabou sendo aprovado por unanimidade.

Esse caso foi rico em ensinamentos. Em primeiro lugar, quanto à natureza dos conflitos pelo uso do espaço. Aparentemente, a disputa era entre uma poderosa empresa pública e os moradores de um modesto bairro da periferia. Mas, na realidade, a empresa nesse caso representava interesses muito mais amplos, verdadeiramente públicos, em contraposição aos de uma comunidade restrita, cujos interesses eram privados e seriam afetados apenas transitoriamente. Em segundo lugar, sobre a dificuldade de mobilizar o interesse mais geral. Mostrou-se ser muito mais fácil reunir a maioria de algumas dezenas de frequentadores da praça do que uma parte ao menos das dezenas de milhares que seriam prejudicados se lhes faltasse energia elétrica. Essa dificuldade tende a dar vantagem aos particularismos e corporativismos nos conflitos em que eles enfrentam interesses gerais que em geral ficam anônimos, sendo representados (quando o são) pelo governo ou algum órgão estatal. E o pior é que muitas vezes o entusiasmo e o empenho dos advogados dos interesses particulares é também muito maior que o dos advogados do interesse geral, o que se explica pelo envolvimento pessoal dos primeiros e não dos últimos. No caso em questão, isso felizmente não ocorreu, e o interesse geral prevaleceu.

A antena da TV Cultura

A TV Cultura, uma emissora pública de caráter educativo, começou a construir uma nova antena em terrenos cedidos por uma igreja em bairro residencial de classe média alta. A obra não tinha alvará por falha da legislação, que não cobre esse tipo de contingência. Todas as antenas de emissoras de TV existentes em São Paulo foram construídas informalmente e posteriormente legalizadas.

Quando a construção se aproximava do seu fim, uma delegação de moradores do entorno da antena, apoiados pelo movimento Defenda São Paulo, encaminhou recurso à CNLU pedindo o embargo e a interrupção dela. A questão foi tratada em duas sessões da comissão. O recurso dos moradores era um arrazoado muito bem escrito, cuja argumentação, inteiramente jurídica ressaltava a falta de autorização legal da obra e a conivência das autoridades municipais com uma ilegalidade, em prejuízo de munícipes. O representante da emissora, em resposta, relatou que as autoridades tinham sido procuradas mas se sentiam impossibilitadas de autorizar a obra. O representante da secretaria de Habitação e Desenvolvimento Urbano confirmou o fato e informou que em breve o projeto de lei seria encaminhando ao Legislativo para superar o impasse.

Os representantes da TV Cultura exibiram ao plenário da CNLU o projeto de antena, de autoria de conhecido arquiteto, que timbrou em dar-lhe aspecto extremamente estético. Mas vários vizinhos da obra usaram da palavra para exprimir sua indignação pelo que consideravam um atentado à integridade de sua propriedade, ou seja, o levantamento de uma torre de várias dezenas de metros de altura junto aos muros de seus quintais. Não ficava claro se o motivo da reclamação era estético ou se sentiam que a proximidade da antena violava sua intimidade. Uma representante do Defenda São Paulo também falou, dando apoio aos moradores. Esse movimento se especializou no combate ao adensamento sobretudo dos bairros residenciais e na defesa do que considera direitos adquiridos dos moradores. No caso em questão, o seu posicionamento se baseava tanto na pretensa ilegalidade da obra quanto nos prejuízos supostamente sofridos pelos que residiam em sua vizinhança.

Falou também uma senhora que representava a entidade mantenedora da igreja em cujo terreno estava sendo erguida a antena. O pronunciamento não muito claro foi favorável à obra, deixando subentendido que a igreja estava tendo alguma vantagem material pela cessão da área para a construção da antena. Ninguém falou pelo público da TV Cultura, com certeza o maior interessado nos serviços a serem prestados pela nova antena.

Ao fim da reunião sugeri que se formasse uma comissão composta por representantes da emissora, dos moradores e da Sempla para negociar alguma solução intermediaria. Eu tinha a esperança que a emissora pudesse fazer concessões aos moradores que minorassem os prejuízos que estes sustentavam estar tendo com a antena. A comissão se reuniu mas não alcançou a conciliação almejada. Fui informado que os moradores e o Defenda São Paulo estavam intransigentes: nada os satisfaria exceto a derrubada da antena. Só restava submeter o assunto à decisão final da CNLU. Eu não tinha dúvida de qual era o interesse da maioria, mas não sabia de que lado se inclinaria o plenário. Os representantes das entidades empresariais e de algumas secretarias demonstravam grande apego ao formalismo jurídico, o que poderia levá-los a apoiar a reclamação dos moradores. Mas meus temores mostraram-se injustificados. Sem qualquer discrepância, a CNLU concluiu que não havia razão para se opor à nova antena.

Esses dois casos ficaram-me na memória porque as partes em conflito se fizeram presentes na arena de decisão e puderam de viva voz defender seus interesses. Mas na maioria dos outros casos isso não se deu. Em geral, os autores das propostas, solicitações ou reclamações eram convocados à reunião em que seu pleito seria apreciado e eu lhes dava oportunidade de falar em defesa de seus interesses. Mas o outro lado não estava lá para contraditá-los, seja porque não fora mobilizado, seja porque ele seria o *público em geral*. Dada a grande diversidade de interesses representada na CNLU, partia quase sempre de alguns de seus membros a argumentação oposta, que não podia deixar de ser considerada para se chegar a decisões justas. Fui me convencendo, ao longo dos quatro anos em que presidi a CNLU, que essa comissão era composta por pessoas que aliavam conhecimento técnico, jurídico e sensibilidade humana a um respeitabilíssimo espírito público. Essas qualidades eram particularmente postas à prova na apreciação das operações interligadas, de que me ocuparei a seguir.

A discussão sobre as Operações Interligadas

Ouvi falar pela primeira vez das Operações Interligadas quando fiz a visita protocolar ao meu antecessor na Sempla, Jair M. Carvalho, que se referiu ao acordo de cooperação que ligava São Paulo a Toronto, sua cidade-irmã canadense, da qual obtivemos a inspiração para implantar a "troca de densidade" por contribuições sociais. Jânio Quadros tinha conseguido aprovar na Câmara uma lei de *desfavelamento,* mediante a qual interessados em construir áreas acima das autorizadas pelo zoneamento poderia obter *excepcionalmente* o direito de fazê-lo em troca da construção de casas para favelados.[2] A ideia parecia ser que proprietários de terrenos ocupados por favelas seriam estimulados a deslocá-las a áreas menos valorizadas, dando aos favelados habitações populares nestas últimas. Obteriam em compensação o direito de construir no terreno liberado uma área superior à autorizada pelo coeficiente de aproveitamento (CA) da zona em que ele se localizava.

Quando da discussão do projeto de lei do desfavelamento, o PT tinha se colocado contra, pois nossa política era urbanizar as favelas,

---

[2] O substantivo "favelado" é polêmico. Recentemente foi proposto não ser usado por aparecer como algo depreciativo, mas, ao mesmo tempo, há movimentos de moradores reivindicando o orgulho de ser da favela. Como veremos, quando o autor usa "favela" ou "favelado" refere-se a uma condição social a ser superada pelo desenvolvimento regulado por políticas sociais. (N. do Org.)

fixando-as nas áreas em que estavam, a não ser que fossem impróprias por estarem sujeitas a enchentes, deslizamentos de terra ou outros riscos igualmente graves. Mas uma vez aprovada a lei, contra nossos votos, verificamos que as operações interligadas não pressupunham qualquer desfavelamento generalizado. Os proprietários podiam solicitar e obter o direito de aumentar a área construída *em terrenos em que não havia favelas*. As casas populares doadas à prefeitura teriam de ser destinadas a favelados em geral, desde que houvesse famílias que tivessem de ser retiradas de favelas localizadas em áreas impróprias à urbanização. Ora, famílias nessas condições é que não faltavam. Sem qualquer intento de desfavelamento, a prefeitura se via obrigada a retirar milhares de famílias de favelas construídas em áreas impróprias, inclusive porque o agravamento da crise habitacional forçava muitos a formar novas favelas e estas tendiam a ocupar áreas ainda vazias, muitas das quais assim estavam por serem impróprias.

Quando assumi a secretaria de Planejamento, vim a saber que seu corpo técnico estava profundamente dividido a respeito das operações interligadas. Uma parte dos técnicos era contra elas porque violavam a consistência e a integridade da legislação urbanística; em tese uma operação interligada poderia abrir exceção a qualquer restrição legal, não apenas quanto ao CA,[3] mas também quanto ao uso (residencial, industrial etc.) e ao gabarito (altura da edificação). Ao ver desses técnicos, as operações interligadas instaurariam o arbítrio ao excepcionar na prática todos os dispositivos da legislação do zoneamento

Outra parte dos técnicos entedia, no entanto, que a lei cercava adequadamente a possibilidade de excepcionar com cautelas: cada operação interligada tinha de ser analisada por uma equipe de arquitetos da Sempla, cujo parecer pró ou contra tinha de ser submetido à CNLU; se aprovado o aspecto urbanístico, o valor econômico do benefício tinha de ser avaliado por firma especializada e uma percentagem variável (sempre acima de 50%) dele tinha de ser doado à prefeitura na forma de casas populares sendo que também a contrapartida econômica tinha

---

[3] O CA é definido como o coeficiente da área construída num lote pela área total dele; assim um CA equivalente a 2 significa que se pode construir até 200 m² num terreno de 100 m².

de ser submetida à CNLU, de cuja aprovação dependia a operação em sua forma final. Nesse processo, eventuais prejuízos causados aos moradores do entorno por adensamento excessivo ou uso inadequado seriam detectados e evitados, reformulando-se a dimensão do benefício a ser concedido ou, se necessário, vetando-se inteiramente a operação.

Eu ouvi a argumentação de cada lado mas sentia que me faltava familiaridade com a problemática para poder formar juízo próprio com a urgência necessária. Convoquei então uma reunião geral de todos os técnicos da Sempla para a discussão das operações interligadas e durante uma tarde toda ouvi pronunciamentos os mais diversos sobre a questão. No fim pedi que quem tivesse propostas a respeito das Operações Interligadas que as colocasse no papel e as encaminhasse a mim. Dezenas de textos me chegaram às mãos nos dias seguintes. Comecei a compreender que a controvérsia tinha como base visões muito diferentes da legislação urbanística, particularmente do zoneamento.

Para esclarecer a questão, vejamos as posturas extremas. De um lado estavam os que consideravam o zoneamento uma legislação justa e correta, que defende a qualidade de vida dos moradores da cidade, disciplinando o capital imobiliário ao impedi-lo de adensar exageradamente bairros até o momento mais ou menos preservados de congestionamentos. O zoneamento em São Paulo dividia a cidade em mais de vinte zonas diversas; em cerca de 90% do território, o CA era no máximo de 2, podendo apenas nos 10% restantes alcançar no máximo 4. Essa limitação draconiana do adensamento seria indispensável para proteger da *especulação imobiliária* uma metrópole já gravemente afetada por congestionamento de tráfego, poluição atmosférica e carência de infraestrutura em toda a sua vasta periferia.

Do outro lado estavam os críticos da legislação de zoneamento, considerando-a arbitrária e inadequada. O zoneamento fora definido basicamente em 1972, a partir de um Plano Diretor que distribuíra as densidades admissíveis pelo território de acordo com um sistema de vias expressas a serem construídas. O plano fora aprovado assim como o zoneamento, mas as vias expressas não foram construídas. Portanto, o zoneamento carecia de fundamento lógico, sendo por isso arbitrário. Nos 17 anos que se seguiram, a aplicação prática do zoneamento exigiu que ele sofresse contínuos ajustamentos. Novos tipos de zonas foram criados, tornando a legislação casa vez mais complexa, inacessível ao leigo, e casuística. À medida que interesses concretos iam se chocando com as restrições do zoneamento, a Comissão do Zoneamento (depois CNLU) ia adotando resoluções que algumas vezes abriam precedentes e outras vezes não abriam, na prática remodelando o zoneamento sem lhe conferir lógica geral.

É claro que entre essas duas posições polares havia também técnicos que assumiam posições intermediarias, mas o meu *staff* estava profundamente dividido a esse respeito e o corpo técnico da secretaria também. De uma forma geral a polarização a respeito do adensamento, referido no início deste capítulo, coincidia com a polarização a respeito do zoneamento. Os que eram favoráveis ao adensamento tendiam a ser críticos do zoneamento, e os que eram contra o adensamento tendiam a ser favoráveis ao zoneamento, o que esclarecia a controvérsia sobre as operações interligadas. Aqueles que aprovam a tendência ao adensamento da cidade (sempre dentro dos limites do respeito aos direitos dos moradores de cada vizinhança) e consideravam a legislação do zoneamento arbitrária viam as operações interligadas como uma forma bem-vinda de flexibilizá-la, além de proporcionar moradia para favelados, o que ajudava a aliviar a crise habitacional pela qual São Paulo estava passando. Os que se opunham ao adensamento ou apenas o toleravam onde ele não podia ocasionar prejuízos a ninguém defendiam a legislação do zoneamento e eram contrários às operações interligadas por serem casuísticas e criarem privilégios que a doação de moradias para favelados não justificava.

Cheguei àconclusão de que, nesse caso, como em tantos outros, havia verdade em ambos os lados. Eu tendia a concordar com os que achavam o adensamento necessário, sobretudo pelas vantagens econômicas que oferece: a aglomeração de atividades ou de moradias em edificações verticais encurta distâncias, o que permite ponderável economia em todas as redes de infraestrutura, de vias públicas, energia, saneamento, telecomunicações, além da economia de tempo de deslocamento dos que trabalham e vivem na metrópole. Mas é claro que essas economias têm um preço, que no caso é o custo adicional da construção vertical (elevadores, por exemplo) e congestionamentos ocasionais, sobretudo nas horas de pico, quando coincidentemente todos usam o espaço viário ou ligações telefônicas etc. E uma parte do preço das economias de aglomeração é paga pelas vítimas de externalidades: moradores em edificações horizontais cujo modo de vida é perturbado pelo surgimentos nas imediações de arranha-céus que violam sua intimidade, intensificam o tráfego e a poluição consequente, além de atrair à área outras atividades como vendedores de rua, tudo isso resultando na degradação do ambiente.

Convenci-me então e continuo convencido de que esses conflitos de interesses são inevitáveis e podem ser resolvidos unilateralmente. Na medida em que São Paulo era uma metrópole carente de recursos, incapaz de proporcionar à sua população mais pobre um nível aceitável de serviços públicos, era inconcebível abrir mão do adensamento como tendência geral. Mas ao permitir e incentivar esse adensamento indispensável, a metrópole devia minimizar seus custos, em termos tanto de congestionamento e saturação quanto de externalidades. Aí estava a importância dos que eram contra o adensamento e a favor das restrições impostas pelo zoneamento. Seu papel seria – e foi – de advogados do diabo sempre que Operações Interligadas fossem apreciadas. Embora críticos da orientação geral que dei à Sempla, sua atuação foi importante para contê-la em limites que se revelaram razoáveis, como ainda veremos.

A reformulação das operações interligadas

Resolvi então, junto com meu *staff*, formar uma comissão com representantes das duas partes para elaborar um novo projeto de lei sobre as Operações Interligadas. A comissão foi presidida pelo meu chefe de gabinete Paulo Sandroni, que mostrou suas grandes qualidades de negociador nessa empreitada. Após várias semanas de árduo trabalho, foi possível elaborar um texto que teve a concordância tanto dos partidários como dos adversários das Operações Interligadas. O projeto de lei foi submetido à CNLU, que o aprovou, sendo enviado pela prefeita Luiza Erundina à Câmara Municipal, onde tomou o número 200/89. Infelizmente, como tantos outros projetos, deixou de ser apreciado durante o mandato da prefeita e foi depois retirado pelo seu sucessor.

Esse projeto de lei foi importante porque, embora não fosse transformado em lei, ele foi adotado como diretriz para julgar as operações interligadas tanto pela comissão da Sempla que delas se encarregava como pela própria CNLU ao dar ou recusar sua aprovação. Para resumir seus principais dispositivos, socorro-me da excelente dissertação de mestrado de Domingos Theodoro de Azevedo Netto, ele mesmo um dos mais destacados urbanistas da Sempla e integrante de meu *staff* enquanto estive à frente dela. "Em princípio as propostas eram analisadas levando em consideração as disposições do projeto de lei 200, mas também sua adequação caso a caso. As disposições principais eram: a) A vinculação das análises propostas com uma política de uso e ocupação do solo devidamente lastreada nas diretrizes de desenvolvimento urbano. b) A utilização da lei n. 10.209/86 como um instrumento de ordenação, revisão e consolidação das características desejáveis para a organização física e funcional do território municipal. c) Seriam considerados intocáveis: o respeito às zonas de uso exclusivas ou predominantemente residenciais; a proteção às áreas de manutenção do caráter da vizinhança; o cuidado para evitar a saturação da capacidade viária, a deterioração do meio ambiente e do patrimônio histórico e a garantia de condições mínimas de segurança, higiene, salubridade e conforto das edificações. d) O processo de análise urbanística deveria contar com a participação dos interessados: os que confeccionaram as propostas, os moradores afetados por elas, especialmente os vizinhos ao lote objeto da operação e os próprios favelados a serem atendidos".[4]

Esse conjunto de normas eliminava o caráter arbitrário das Operações Interligadas. Elas que ficavam sujeitas a limitações severas, não podendo ser cogitadas em áreas protegidas pelo zoneamento como a zona 1 (estritamente residencial) ou zonas de preservação ambiental, além de serem submetidas a critérios estritos de defesa da qualidade de vida tanto da vizinhança como dos futuros usuários das edificações em que se aplicava a operação interligada. Uma inovação importante do projeto de lei n. 200/89 foi garantir a participação dos interessados na análise urbanística das propostas de operações interligadas, o que dava um caráter mais transparente e democrático aos conflitos de interesse que por suposto existiriam entre favorecidos e prejudicados

---

[4] Domingos Thedoro de Azevedo Netto, *O jogo das interligadas. Uma política pública em avaliação. A lei nº 10.209/86, do município de São Paulo 1986-1993*, p. 24-25.

em cada caso. A prática mostrou que essa participação, quando havia conflito, sem dúvida contribuiu para que o plenário da CNLU pudesse melhor apreciar todos os aspectos da questão e assim decidir com melhor conhecimento de causa.

Outra mudança proposta no projeto de lei e aplicada desde essa época foi o aumento da contrapartida em habitações populares, que até então deveriam representar pelo menos 50% do valor adicionado ao imóvel graças à operação interligada. Foi resolvido que esta proporção passaria a ser de pelo menos 60%. A aplicação desta proporção e proporções de até 75% mostraram-se factíveis, sendo na maioria dos casos aceitas pelos proponentes.

A partir de fevereiro de 1991, um novo projeto de Plano Diretor foi submetido pela prefeita à apreciação da Câmara Municipal, depois de passar pelo crivo da CNLU (como se verá em mais detalhes no próximo capítulo). Como esse projeto de Plano Diretor propunha novas diretrizes de desenvolvimento urbano e novos critérios para a "organização física e funcional do território municipal", ele passou a funcionar como norma para a apreciação de propostas de operações interligadas, em lugar do Plano Diretor formalmente em vigor mas totalmente ultrapassado.

A prática das operações interligadas

A lei das operações interligadas foi aprovada por decurso de prazo ainda em 1986, mas o início de sua implementação foi demorado. Em 1987, um primeiro grupo de trabalho propôs a metodologia a ser seguida. O edital número 1 de chamamento publicado em 1º de fevereiro de 1988 vigorou por um mês, durante o qual foram protocoladas 7 propostas. O edital número 2 vigorou durante o mês de abril daquele ano, sendo protocoladas 15 propostas. E ainda na gestão de Jânio Quadros publicou-se o edital número 3 que vigorou em outubro, quando foram protocoladas 41 propostas. Durante 1988, a Comissão de Zoneamento examinou 21 operações interligadas, das quais aprovou 13 inteiramente, 3 apenas urbanisticamente e indeferiu 5. Como visto antes, cada proposta passava duas vezes pela CNLU: a primeira para ser apreciada sob o ponto de vista urbanístico; apenas as propostas assim aprovadas passavam uma segunda vez pela Comissão para aprovar o valor da contrapartida. Só então a proposta estava aprovada inteiramente. As propostas de operações interligadas que continuavam em análise quando assumimos a chefia da Sempla eram 42.

Durante 1989, não se abriu qualquer edital porque aguardávamos que a Câmara Municipal aprovasse nova lei, conforme o projeto n. 200/89 que tínhamos apresentado. Além disso, dois terços das propostas feitas até então ainda precisavam ser decididos. Naquele ano, 6 propostas foram aprovadas inteiramente pela CNLU, outras 5 apenas urbanisticamente e 3 foram indeferidas. Além disso, 6 propostas foram retiradas pelos seus autores. Em 1990, nos convencemos de que não obteríamos a curto prazo nova lei de operações interligadas e por isso decidimos publicar novo edital, de número 4, e mantê-lo em vigor por prazo maior. Estou convicto de que deveria haver a possibilidade de propor operações interligadas o tempo todo, sem necessidade de edital. Mas era preciso cumprir a lei. O edital número 4 ficou em vigor de 10 de fevereiro de 1990 a 31 de outubro do mesmo ano, e nesses quase 9 meses foram protocoladas 102 propostas. Em 1990, a CNLU aprovou inteiramente 10 propostas e apenas urbanisticamente 12, além de indeferir 9. Houve também 9 desistências.

Estes dados mostram que o ritmo de processamento de Operações Interligadas quase dobrou em 1990, em relação ao ano anterior. O grande número de propostas apresentadas refletiu provavelmente a difusão, entre os interessados potenciais, do conhecimento das Operações Interligadas. É preciso considerar que em março de 1990 tomou posse na Presidência da República Fernando Collor, que imediatamente pôs em prática seu plano de estabilização, sequestrando e congelando a quase totalidade das reservas financeiras do país. Deu início com isso a imensa crise da construção civil, atividade muito dependente de crédito. Nessas condições, o interesse despertado pelas Operações Interligadas deve ser considerado excepcional, sendo inteiramente explicável o número relativamente elevado de desistências. Além disso, o aprendizado do próprio grupo de trabalho da Sempla no processamento das propostas deve ter sido o principal motivo de o número de propostas submetidas à CNLU – 31 – ter mais que dobrado em relação ao ano anterior – 14.

Em 1991, o edital número 5 foi publicado apenas em 6 de dezembro, tendo vigido até 30 de setembro seguinte. A demora em abri-lo foi motivada pelo grande número de propostas – 85 – que ainda estavam sendo analisadas, que ultrapassava de longe a capacidade de processamento do grupo de trabalho. Durante os 10 meses de vigência desse edital, 66 propostas foram protocoladas. Em 1991, foram submetidas à CNLU 55 propostas, das quais foram aprovadas inteiramente 22, apenas urbanisticamente 20 e indeferidas 13. O número de desistências foi de 6. Em 27 de outubro foi publicado o edital número 6, que vigorou até o fim de nossa gestão e teve sua vigência prolongada durante 1993, já no governo do prefeito Paulo Maluf. Em 1992, a CNLU apreciou 49 propostas, aprovou inteiramente 13, apenas urbanisticamente 20 e indeferiu 16. As desistências foram 4.[5]

O movimento crescente tanto de propostas apresentadas como de operações interligadas aprovadas mostra a importância desse instrumento e objetivamente a necessidade de flexibilizar a legislação do zoneamento em São Paulo. Como a apreciação urbanística de cada proposta, ao menos em nossa gestão, passou a ser bastante rigorosa, nenhuma proposta mereceria aprovação se o zoneamento fosse correto, ou seja, se as restrições que ele impõe realmente se justificassem. Mas naqueles quatro anos, 69 operações interligadas foram aprovadas urbanisticamente e apenas 41 foram rejeitadas, demonstrando que em 60% dos casos algumas das restrições do zoneamento não se justificavam, viabilizando muitas vezes investimentos que de outra maneira não poderiam ter se realizado, além de proporcionar milhares de habitações para favelados financiados pelos beneficiários das operações interligadas.

Mas o mero número de operações diz pouco, porque o seu tamanho varia imensamente. Muitas propostas são relativamente pequenas e simples, visando acrescentar alguns andares a edifícios residenciais em troca de habitações de interesse social. Essas propostas passam por uma análise das condições da vizinhança, para verificar se estão em harmonia com as tendências de ocupação da área e se a infraestrutura, sobretudo viária, suportaria o acréscimo de uso decorrente da nova edificação. Se aprovadas urbanisticamente, o cálculo da contrapartida também não oferece dificuldade, sendo em geral modesto o resultado.

---

[5] Todos esses números constam de quadro de Sempla, transcritos na dissertação já citada de Domingos de Azevedo Netto.

Muito diferentes são as propostas, em quantidade menor, que visam empreendimentos de grande porte como shopping centers, centros empresariais ou conjuntos residenciais, os quais inevitavelmente impactam a área em que vão se implantar. Os chamados megaprojetos demandam necessariamente um esforço de processamento intersecretarial, o relator da Sempla precisando de pareceres das secretarias de Transporte e de Vias Públicas, algumas vezes de Habitação, de Serviços e Obras (em que está Depave, o departamento responsável pelas áreas verdes) e de Negócios Jurídicos. Esse esforço intersecretarial se faz indispensável porque um megaprojeto suscita quase sempre grande fluxo de pessoas e de cargas, aumentando fortemente o uso do sistema viário; além disso, frequentemente requer a abertura de novas ruas e propõe eliminar a vegetação que cobre glebas não ocupadas, sem falar dos diferentes excepcionamentos de que precisa da legislação urbanística, que requerem pareceres jurídicos nada simples.

A tramitação conflituosa dos megaprojetos

Não é de estranhar que cada proposta de megaprojeto tramitasse durante meses e mesmo anos até estar pronta para ser submetida à CNLU. E se lograva ser aprovada urbanisticamente, o cálculo e a negociação da contrapartida constituíam outra corrida de obstáculos, em função tanto da ausência de precedentes (cada megaprojeto tende a ser um caso único) como do grande valor em disputa. Além disso, as habitações para favelados não costumavam ser a única exigência a ser satisfeita pelo proponente da operação interligada. Frequentemente tinha que se responsabilizar também por diversas obras para adaptar o viário às demandas geradas pelo seu projeto.

Ilustremos isso com a maior operação interligada aprovada em nossa gestão. O projeto tinha como interessada a Eletropaulo, que pretendia construir um edifício em terreno na avenida Juscelino Kubitschek, esquina com a avenida das Nações Unidas. A área é em zona 2, em que edificações não residenciais têm coeficiente de aproveitamento máximo igual a 1. A interessada solicitava, entre outros excepcionamentos, um CA igual a 2,1, ou seja, um adensamento 110% maior do que o admitido pelo zoneamento. Isso significava uma área construída total de 131.545,51 m², além de 3.702 vagas para automóveis em subsolo, 120 vagas descobertas e 30 vagas para ônibus de funcionários.

Foi solicitado o parecer da Companhia de Engenharia de Tráfego, a qual opinou que o megaprojeto agravaria a situação de congestionamento das principais vias da região. Propôs que a Eletropaulo se responsabilizasse pelos seguintes melhoramentos viários: construção de viaduto direcional sobre a interseção de três avenidas; nova interseção entre duas vias e uma pista local em uma terceira via; e implantação de sistema semafórico na interseção mencionada. Essas exigências foram incorporadas ao parecer submetido à CNLU, que aprovou urbanisticamente a proposta em 23 de junho de 1992. Em 10 de novembro, a proposta voltou à CNLU para aprovação de contrapartida. Além dos melhoramentos viários citados, a Eletropaulo se comprometeu a financiar a construção de 2.041 habitações para favelados.

Esses dados dão uma ideia da complexidade e da importância social e econômica desses megaprojetos. O lucro imobiliário que a operação interligada proporciona à Eletropaulo é suficiente para que ela se disponha a financiar várias obras viárias e mais de duas mil habitações, só estas últimas no valor de mais de 26 milhões de dólares. Mas a importância desse tipo de projeto não se esgota na contrapartida. A cidade precisa e muito de investimentos assim, que geram empregos na etapa de construção e proporcionam infraestrutura para empreendimentos quando prontos, que por sua vez geram outro tanto de empregos. Uma metrópole moderna que se especializa crescentemente em serviços como São Paulo necessita de shoppings, centros empresariais, grandes prédios de escritório que são o correspondente ao que representavam as fábricas na primeira metade do século.

Na realidade, a tramitação dos megaprojetos era resistida por muitos técnicos da prefeitura, o que somava à natural lentidão de um processo que tinha que passar por numerosas mãos que certamente não o consideram prioritário, já que a decisão final será tomada alhures. A resistência de alguns tinha motivação ideológica, por verem em cada megaprojeto uma tentativa do capital "especulativo" de onerar os serviços públicos e desfigurar a cidade apenas em proveito próprio; outros o faziam habituados a "criar dificuldades para vender facilidades", o que era extraordinariamente estimulado pela complexidade e irracionalidade da legislação urbanística em vigor.

Por tudo isso, os megaprojetos não andavam e os seus proponentes iam se queixar à prefeita.

Luiza Erundina tinha plena consciência de quão importantes eram esses investimentos para uma cidade mergulhada, sobretudo a partir de 1990, em profunda crise econômica. Além disso, ela tinha justificado orgulho de que, em sua gestão, nenhum investidor era extorquido para conseguir a aprovação de seu projeto, o que constituía ruptura significativa com uma tradição canalha antiga na administração pública. Mas de que adiantava a tão elogiada honestidade do primeiro escalão do governo se os projetos ficavam parados nos labirintos técnicos burocráticos? A prefeita convocava então os seus secretários da área "urbana" para desemperrá-los e abreviar os trâmites para a sua aprovação, o que não era fácil, porque os técnicos da prefeitura têm estabilidade e podem se recusar a assinar pareceres com que não concordam. Além disso, o cipoal de leis, decretos, portarias etc. lhes proporciona magníficos pretextos para exigir novas providências, novos estudos e novos pareceres.

Em suma, foi uma batalha árdua, que somente poderia ser ganha com a simplificação e racionalização das leis que regulam o uso e a ocupação do espaço urbano. Ermínia Maricatto, nossa secretária de habitação, conseguiu aprovar um novo Código de Edificações pela Câmara Municipal, uma vitória importante da administração de Luiza Erundina, mas quase uma exceção que confirmou a regra. Todos os demais projetos neste sentido, tanto da Secretaria de Habitação como da Sempla, deixaram de ser apreciados pelo governo.

Crise e reorganização da Sempla

Inesperadamente, a crise que estava se aprofundando ao redor dos megaprojetos, que em sua maioria necessitavam de operações interligadas para se viabilizarem, acabou estourando na Sempla. Digo inesperadamente porque naquela altura, em meados de 1991, as discussões entre os partidários e críticos do zoneamento já tinham avançado muito e um *modus vivendi* parecia ter sido encontrado: a orientação fundamental era a favor das operações interligadas, portanto da flexibilização do zoneamento e dos megaprojetos, mas sempre tendo em vista preservar os direitos da vizinhança e do bairro e levar em consideração também os interesses dos que se consideravam prejudicados. O papel dos partidários do zoneamento era o de servir de contrapeso para que a análise das operações interligadas, sobretudo dos megaprojetos, não fosse unilateralmente favorável aos seus proponentes.

Esse *modus vivendi* foi rompido quando da apreciação de proposta da Fundação Cásper Líbero, que pretendia construir um shopping em um terreno na avenida Professor Francisco Morato, esquina com a avenida Deputado Jacob Salvador Sveibl. A proposta parecia urbanisticamente inviável, pois o terreno confinava com três corredores de tráfego de características diferentes, devendo pela legislação então em vigor prevalecer o corredor mais restritivo, que no caso não comportava operações interligadas, de acordo com o nosso projeto de lei n. 200/89. O parecer era de Lourdes Costa, diretora do Denuso, o departamento que aglutinava os técnicos que defendiam intransigivelmente as restrições do zoneamento. Dado o impasse, fiz ver à diretora que empreendimentos como esses eram necessários à cidade e que a orientação do governo era impedir que fossem inviabilizados por formalidades legais. Alguns dias depois, a própria Lourdes Costa, pessoa de grande integridade e notável competência jurídica, apresentou a solução: como a legislação que impunha a prevalência do corredor mais restritivo era um decreto do prefeito, ele poderia ser alterado por outro decreto, cuja minuta ela já tinha elaborado. E assim se fez, aparentemente viabilizando a proposta.

Mas um novo escolho surgiu em relação ao impacto que o shopping teria sobre o sistema viário. A questão foi longamente estudada pela Companhia de Engenharia de Tráfego, que acabou propondo a aceitação do projeto em troca da ampliação e remodelação do sistema viário junto ao local do empreendimento, de acordo com as especificações da Secretaria Municipal de Transportes, a serem integralmente custeadas pelo proponente. Esse parecer foi submetido ao grupo de trabalho das operações interligadas, isto é, ao grupo de arquitetos da Sempla que representavam o ponto de vista da secretaria e portanto meu, como titular dela. Surpreendentemente, o grupo de trabalho rejeitou o parecer da CET por 6 votos contra, 4 a favor e 3 abstenções. Quando fiquei sabendo do resultado, fiquei pasmo: o GT de Sempla resolvera, por maioria de votos, dar parecer contra a proposta de operação interligada por considerar inadmissível seu impacto viário, quando o órgão especializado e responsável pela administração desse impacto o considerara aceitável, desde que compensado por obras de ampliação da capacidade do sistema.

Resolvi então submeter a proposta à CNLU e defender a sua aprovação, em nome da administração, contra o parecer contrário de meu próprio grupo. Eu supunha que os membros do grupo de trabalho estariam presentes, como de hábito, e pretendia dar a palavra a um porta-voz da maioria e a outro da minoria, para argumentar e fundamentar suas conclusões. Tinha esperanças de que a maioria do plenário da CNLU aprovaria o projeto. Mas na reunião da CNLU os membros da maioria do grupo de trabalho não quiseram usar da palavra, sendo oralmente defendido apenas o parecer da minoria favorável ao projeto, que foi então aprovado por unanimidade pelo plenário da CNLU.[6]

No dia seguinte, recebi o pedido por escrito dos membros que tinham votado pela rejeição do parecer da Companhia de Engenharia de Tráfego de renúncia do grupo de trabalho. Esse gesto pode ter sido uma tentativa de resolver a crise interna da Sempla, pois me deixava à vontade para substituí-los. A renúncia, no entanto, deixava explícita a discordância desses técnicos em relação à orientação dada pela administração às operações interligadas, sentindo-se portanto sem condições de continuar a representá-la no grupo de trabalho. Por isso ela infelizmente não resolvia o problema criado com a ruptura unilateral do *modus vivendi* estabelecido. Não era tolerável que todo um setor da Sempla, que tinha a responsabilidade principal pela aplicação da legislação urbanística, se colocasse em oposição aberta à orientação da prefeita.

A secretaria municipal de Planejamento tinha três departamentos: Demplan (Planejamento), Denuso (Normativo de Uso do Solo) e Decor (Economia e Orçamento). O Demplan era dirigido por Raquel Rolnik e tinha à sua frente os principais críticos da legislação do zoneamento; era o maior dos três departamentos, com mais de cem técnicos, e certamente entre estes havia também defensores

---

[6] Vem a propósito o comentário de Domingos de Azevedo Netto, em sua já citada dissertação de mestrado, a respeito desse caso: "É interessante observar que esse shopping foi recentemente inaugurado e seus frequentadores só têm elogios para com ele, quanto às facilidades de acesso, estacionamento, ambiente etc." (p. 131).

daquela legislação. O Denuso, como já foi assinalado, era dirigido por Lourdes Costa e formava um grupo coeso em defesa da legislação do zoneamento. O Decor era então dirigido por Nivaldo Cordeiro, e nas discussões no meu *staff* tendia a assumir posição neutra. Seus técnicos estavam concentrados na elaboração e execução orçamentária e não se envolviam com a questão. Sua participação se limitava ao cálculo da contrapartida das operações interligadas aprovadas.

Não havia uma distinção clara entre as atribuições do Demplan e do Denuso. A principal tarefa do Demplan era elaborar o Plano Diretor da cidade. Além disso, planejamento urbano significava o que o Denuso também fazia: elaborar projetos de lei urbanísticos e cuidar que a legislação em vigor fosse adequadamente aplicada. Conforme o ou a urbanista (a maioria era de mulheres) encarregada de dar parecer, a interpretação podia ser mais ou menos estrita à letra da lei – se o assunto estivesse submetido ao Demplan. Agora, submetido ao Denuso, o parecer sempre optava pela interpretação mais restritiva da lei, pelos motivos já expostos no início deste capítulo. Ora, essa dualidade de orientações numa mesma secretaria só seria admissível dentro de limites estreitos, que foram largamente ultrapassados no caso da operação interligada da Fundação Cásper Líbero.

Após farta discussão, decidimos reestruturar a Sempla, fundindo Demplan e Denuso num único departamento de Planejamento e Uso do Solo – Deplano – sob a direção de Raquel Rolnik. Lourdes Costa se tornou minha assessora. O novo departamento foi dividido em vários grupos de trabalho, e tomamos cuidado para que os técnicos provenientes do Denuso tivessem oportunidade e motivação para continuar a participar da atividade de planejamento e normatização, *defendendo suas posições*. Como deixei claro, na ocasião eu não queria calar nem marginalizar os que tinham uma posição crítica em relação às operações interligadas e em particular aos megaprojetos. O que eu pretendia era permitir a interação entre urbanistas de orientações diversas, para que dessa interação surgissem decisões equilibradas, obviamente dentro da orientação mais geral dada pela prefeita e seu secretário.

Não sei se conseguimos atingir inteiramente o nosso intento. Sem dúvida, a reorganização da secretaria feriu os sentimentos de Lourdes Costa e de suas companheiras do Denuso, que perderam uma trincheira de onde podiam, até certos limites, impor suas posições ou no mínimo retardar a tomada de medidas a que se opunham. Lamentei e lamento os sentimentos afrontados mas acho que não poderíamos ter agido de outra maneira. Era fundamental que o interesse público fosse preservado e que a orientação de quem fora eleito prevalecesse.

Outros conflitos urbanos

Quero ainda tratar resumidamente de outros conflitos urbanos porque lançam luz sobre como a dinâmica metropolitana produz antagonismos nos quais nenhuma das partes pode pretender ter a verdade e a justiça completamente ao seu lado. Um dos que mais suscitou discussões foi o *fechamento de ruas residenciais*. Tratava-se de tentativas de preservar a qualidade de vida de moradores de vias que, com a expansão da cidade, se tornam cada vez mais de passagem entre algum centro e outros bairros. A evolução típica a de um bairro novo, aberto na periferia, com ruas sossegadas utilizadas quase exclusivamente pelos moradores e os que vêm servi-los caminhão de coleta de lixo, de venda de bujões de gás, de distribuição de correspondência. Passado algum tempo outro bairro é aberto mais adiante e algumas ruas do bairro mais antigo tornam-se vias de passagem para os novos moradores e os veículos a seu serviço. Começa assim o conflito pelo uso do espaço público entre moradores locais e os estranhos de passagem, que se agudiza à medida que se multiplicam os bairros novos abertos mais longe que inevitavelmente geram volume crescente de tráfego de passagem. Os moradores do bairro antigo sofrem pela poluição atmosférica e sonora e também pelo perigo de serem atropelados, risco que atinge sobretudo crianças.

Nos bairros mais pobres atravessados por vias expressas ou que motoristas apressados tornam "expressas", o frequente atropelamento de crianças suscita revolta da população, que se lança com picaretas e pás a abrir valetas nas vias de passagem para assim no mínimo impor aos veículos passantes redução de velocidade. A reivindicação dessa população dos poderes públicos é a instalação de quebra-molas e de semáforos. Em bairros mais ricos, no entanto, surgiu em nossa administração uma reivindicação mais radical, no início de nossa gestão fortemente patrocinada pela direção da Companhia de Engenharia de Tráfego: o fechamento de determinadas vias de passagem, tornando-as ruas sem saída reservadas ao uso exclusivo de seus moradores. Do ponto de vista destes, uma solução perfeita. A rua antes poluída e perigosa volta a ser o espaço público apenas da vizinhança, com o tráfego de passagem sendo desviado para outras vias.

A proposta previa estudo de realocação do tráfego e consulta à população afetada, que, em contrapartida, teria de eventualmente levar o seu lixo a um quarteirão de distância se o caminhão da coleta não pudesse manobrar na rua fechada. O tráfego a ser remanejado devido ao fechamento da *primeira rua* seria relativamente pequeno, de modo que o congestionamento adicional a ser suportado pelos moradores das outras vias de passagem poderia ser considerado pequeno em relação ao grande benefício usufruído pelos moradores da rua fechada. Só que os moradores das outras vias de passagem não tardariam a exigir o mesmo benefício para si, o que significaria o fechamento de todas as vias de passagem, exceto das exclusivamente comerciais, em que ninguém residisse. É óbvio que essa "solução" seria completamente inaceitável para os passantes, sujeitos a congestionamentos intransponíveis nas pouquíssimas vias que continuariam abertas.

Apesar da óbvia impossibilidade de generalizar o fechamento de ruas, não poucos urbanistas insistem em preconizá-lo. Um dos seus argumentos favoritos é a crítica aos automobilistas, vistos como agressores ao ambiente e à qualidade de vida das vizinhanças por onde transitam. Pode até ser que assim seja, mas certamente não se curarão ou prevenirão os males causados pelo automobilismo mediante o fechamento das passagens. Talvez uma grande expansão do transporte coletivo, inclusive enterrando-se os veículos em subterrâneos, permitisse preservar e restaurar a qualidade de vida dos bairros residenciais violentados pelo crescente tráfego de passagem. Mas enquanto faltarem recursos materiais e vontade política para tanto, os conflitos entre passantes e moradores não cessarão e dificilmente serão resolvidos com remanejamentos de tráfego.

Outro conflito interessante se trava ente os que desejam *a preservação do patrimônio histórico da cidade* e os que querem demolir construções antigas para em seu lugar erguer outras modernas. Ao contrário do conflito anteriormente tratado, este não tem grupos de interesses antagônicos claramente delineados. Em princípio, todos ou a grande maioria apoiam a preservação de edificações que simbolizem a cidade, que lhe deem identidade e personalidade ou testemunhem eventos ou épocas de relevância para a história da cidade. O problema é primeiro, quem decide quais edificações devem ser preservadas e segundo, o que acontece com elas.

Comecemos com o segundo. Em São Paulo, como em outras cidades brasileiras, a preservação é decidida pelo poder público e deve ser executada pelo proprietário. Acontece que o proprietário privado não tem muito incentivo em fazer o que a legislação lhe exige, pois o que pode ser patrimônio *histórico* para outros é patrimônio *imobiliário* para ele, cuja valorização quase sempre requer a não preservação do que foi edificado no imóvel. Daí a ironia involuntária contida na noção de *tombamento*: a autoridade tomba a edificação para preservá-la e na mesma noite a família proprietária tomba literalmente a edificação, demolindo-a ou implodindo-a, para preservar o valor monetário do imóvel. Quando a derrubada imediata da edificação é impraticável (porque alguém mora nela, por exemplo), o melhor que o proprietário tem a fazer do ponto de vista de seu interesse pecuniário é negligenciar a conservação do edifício de modo a apressar a obra destrutiva do tempo. Em suma, há um conflito muito frequente entre os preservacionistas históricos e os infelizes donos dos bens a serem preservados, que deixam de poder reformá-los ou demoli-los sem que ninguém se disponha a indenizá-los por esse inegável sacrifício pelo bem-estar cultural de todos os concidadãos.

O conflito, uma vez declarado, tem consequências que o agravam. É o que verificamos se agora nos voltarmos ao primeiro problema, ou seja, quem são os decisores e como agem. Em geral, os órgãos que cuidam do patrimônio histórico se compõem de urbanistas, historiadores e outros profissionais que se interessam pelo assunto e que tendem a medir a efetividade de seus esforços pelo volume de edificações tombadas: quanto mais, melhor! Como não há critérios objetivos, qualquer edificação antiga pode ter o seu tombamento proposto, por ser bonita, por típica, por ser característica etc. Em nossa gestão, o órgão municipal de preservação, o Compresp, decidiu que não bastaria preservar edificações isoladas e passou a tombar bairros inteiros. Como já é sabido que os proprietários reagem ao tombamento demolindo o mais depressa possível o que se pretende que seja preservado, a decisão inicial de "estudar determinado bairro para que ele eventualmente seja tombado" já faz vigorar *desde o primeiro instante* todas as proibições que o tombamento acarreta. Assim, tão logo o Compresp anuncia que determinado bairro está sendo estudado para eventual tombamento, os proprietários têm que obter autorização não só para demolições como para qualquer reforma em seus imóveis, o que acarreta de imediato considerável perda de valor comercial, como é fácil imaginar.

O conflito em si é inevitável porque edificações se desvalorizam com o passar do tempo e, com as mudanças nos estilos e vida, se tornam obsoletas. Elas deixam de ser utilizadas como local de residência ou de trabalho pelos que tem renda suficiente para poder optar e acabam relegadas aos extratos de baixa renda. Como em geral os novos ocupantes não têm recursos para manter as edificações "preservadas" em boas condições, elas rapidamente decaem, tornando-se cortiços ou favelas verticais. Imaginar que os proprietários se disponham a manter suas edificações às suas custas só tem sentido quando eles são os usuários delas. E mesmo nesse caso, a proibição de mexer na fachada e a necessidade de se obter autorização para qualquer reforma devem incomodar os proprietários, que em geral se sentem prejudicados quando seus bens imóveis são tombados.

A única exceção é constituída pelos proprietários de casas que usam o tombamento para evitar a verticalização do bairro. É o que aconteceu por exemplo no Pacaembu, bairro de belas residências ajardinadas e que vem sendo vítima de crescente tráfego de passagem por algumas de suas vias. A principal delas, a avenida Pacaembu, já tem todos seus sobradões ocupados por empresas de serviços. A associação de moradores conseguiu o tombamento do bairro inteiro no fim da nossa gestão, freando o processo de verticalização que ocorria sobretudo nas vias de passagem. Aos atuais moradores interessa preservar o caráter residencial do bairro, constituído principalmente de casas unifamiliares. É claro que os proprietários desejosos de aproveitar a valorização de seus imóveis e os empresários empenhados em substituir casas por arranha-céus foram prejudicados. Resta acrescentar que em São Paulo os filhos da classe média – ao contrário do que deve ocorrer na Europa – não têm o hábito de morar nas casas que foram de seus pais, sobretudo se não puderem reformá-las. A continuar sendo assim, o tombamento de bairros tradicionais dificilmente terá vida longa.

Já que o conflito entre preservação e renovação não pode ser evitado, conviria ao menos que fosse travado de forma menos irracional e mais democrática. É necessário socializar, de alguma forma, o custo da preservação e ao mesmo tempo garantir que os edifícios tombados sejam efetivamente preservados. Uma opção seria criar um fundo de preservação, formado inicialmente por contribuições voluntárias dos que amam o patrimônio histórico e querem evitar a sua destruição. O fundo adquiriria a preço de mercado os imóveis tombados de que seus proprietários desejem se desfazer, assumiria o ônus de sua adequada conservação e usufruiria dos rendimentos proporcionados pela sua locação. Poderia ser uma entidade pública autônoma, gerida por representantes da sociedade civil. Os órgãos (estadual e municipal) de preservação seriam compostos por representantes tanto dos que são a favor da preservação como dos que têm interesse na renovação do tecido urbano da cidade. Novos tombamentos estariam limitados à disponibilidade de recursos do fundo de preservação.

Um mecanismo como esse evitaria o jogo de gato e rato entre preservacionistas e incorporadores e garantiria que o patrimônio histórico (e natural) da cidade de fato fosse preservado. Seja como for, a luta entre os que querem que a cidade se conserve horizontal, verde e sossegada e os que têm interesse profissional e financeiro em verticalizá-la e dinamizá-la não pode ser evitada. O zoneamento que restringe o adensamento e as operações interligadas que o flexibilizam, a proposta de fechamento de ruas residenciais e o tombamento de bairros inteiros são manifestações desse conflito. O desafio à democracia urbana é encaminhar o conflito de forma a fazer prevalecer a maioria e de maneira a produzir um processo equilibrado de preservação e renovação.

É preciso considerar enfim que esse conflito se trava unicamente entre os cidadãos que podem pagar, pessoas de posses cujas idiossincrasias têm fundamento material para se tornarem proposições concretas. A grande minoria dos que nada têm e carece de um lugar para morar decentemente na cidade ignora esse conflito. Por isso, na administração de Luiza Erundina, ele foi gerido de forma neutra, mas com viés favorável aos que aumentam a oferta de área construída para trabalhar ou para morar, pois essa é a única possibilidade de integrar os que se encontram à margem da sociedade e da economia metropolitana.

A luta pelo Plano Diretor:
ideologia e interesses em jogo[1]

Mitos e realidade do Plano Diretor

Algumas semanas antes de tomar posse, a prefeita eleita Luiza Erundina fez uma visita protocolar ao reitor da Universidade de São Paulo e se fez acompanhar de seus futuros secretários que eram professores da universidade. Foi nessa qualidade que estive presente e testemunhei a conversa em que a prefeita ressaltou a importância da maior universidade do país para a cidade, dizendo que esperava contar com uma ajuda no enfrentamento das muitas tarefas que aguardavam o futuro governo municipal, particularmente na elaboração de um novo Plano Diretor de modo a preparar São Paulo para o século XXI. O quanto me lembro, esta foi a primeira vez que tomei conhecimento de que São Paulo precisava de um novo Plano Diretor e que seria minha responsabilidade, como futuro secretário municipal de Planejamento, a apresentação do projeto.

Como vim a saber depois, a própria origem da Secretaria do Planejamento se confunde com o Plano Diretor. O primeiro Plano Diretor de São Paulo foi adotado em 1971, e nessa ocasião se criou uma comissão para implementá-lo. O nome do órgão foi posteriormente mudado para Cogep – Comissão Geral de Planejamento – e finalmente para Sempla – Secretaria Municipal de Planejamento. As funções originais da Sempla eram administrar as regras de uso e ocupação do solo e planejar o crescimento espacial da cidade. Jânio Quadros posteriormente transplantou o Decor – Departamento de Economia Urbana

---

[1] Publicado originalmente em: SINGER, P. I. *Um governo de esquerda para todos. Luiza Erundina na prefeitura de São Paulo (1989-1992)*. São Paulo: Brasiliense, 1996, p. 195-237. (N. do Org.)

e Orçamento – da Secretaria das Finanças para a de Planejamento, de modo que esta passou a conter duas áreas de atuação – planejamento urbano e orçamento – bem distintas e pouco integradas.

Planos diretores sempre despertam grandes esperanças como instrumentos de ordenação, regulação e racionalização do desenvolvimento geral das cidades. Além disso, esperava-se que promovessem equidade ao proporcionar aos marginalizados, que nunca haviam podido ganhar o bastante para adquirir no mercado moradias decentes, acesso à terra. Tais expectativas foram particularmente fortes durantes o regime militar, quando a lei exigia de cada município a aprovação de um Plano Diretor para poder receber créditos subsidiados no Banco Nacional da Habilitação (BNH) a fim de construir moradias e sistemas e água e esgoto.

O primeiro Plano Diretor de São Paulo surgiu em 1971, no auge da ditadura militar e do "milagre brasileiro". O crescimento da economia era extraordinário, e havia recursos abundantes para investir na infraestrutura urbana. Mesmo assim o Plano Diretor de 1971 nunca se tornou realidade, como vimos. A rede de vias expressas prevista pelo Plano e sobre a qual se baseou a lei do zoneamento jamais foi construída. É provável que o declínio do "milagre" a partir de 1974 e as recessões ocasionadas pelo segundo choque do petróleo, de 1981 em diante, tenham sido fatores importantes para a não realização do PD-71. Mas mesmo que as vias expressas tivessem sido construídas, é duvidoso que o Plano tivesse podido satisfazer as expectativas.

O desenvolvimento de São Paulo estava sujeito ao jogo das forças de mercado, que dificilmente poderia ter sido previsto e muito menos planejado. Consideremos por exemplo o crescimento demográfico da cidade: nos anos 1970, São Paulo era ainda uma das capitais brasileiras que mais se expandiam; durante a década de 1980, o seu crescimento caiu a menos de 1% ao ano, bem abaixo do seu crescimento vegetativo, dado pela diferença entre nascimentos e óbitos. Nos anos 1970, os imigrantes que chegavam à cidade eram em número muito superior ao dos que a deixavam, como aconteceu em todas as décadas precedentes por quase um século. Entre 1980 e 1991, o número dos que saíram superou o dos que chegaram a São Paulo.

A reversão dos saldos migratórios não foi prevista pelo PD-71 e atesta seu fracasso. Ela reflete o colapso do desenvolvimento brasileiro sobretudo no coração industrial do país em São Paulo. Evidentemente, o que se esperava de um Plano Diretor é que assegurasse a continuidade do desenvolvimento, embora seja óbvio que um plano municipal não poderia evitar tendências mundiais e seus efeitos sobre o país. Mas mesmo que os planejadores pudessem ter previsto o desastre econômico e social, o que poderiam ter feito? Poderiam ter formulado um plano para mitigá-lo? Dificilmente, pois um Plano Diretor não é um exercício de futurologia mas um documento político, uma lei aprovada pela Câmara Municipal que, como todos os outros, prevê desenvolvimento maior e melhor.

Após os fatos terem acontecido, é fácil ser sábio. Mas na época em que o "milagre" econômico despertava as esperanças mais loucas, ninguém cogitaria prever um futuro de vacas magras e ninguém se disporia a aceitar um planejamento baseado em tal previsão. O entusiasmo pelos planos era motivado pela segurança oferecida por eles de que o futuro era manejável e portanto poderia ser tornado melhor. Planos diretores sobretudo expressavam a capacidade da comunidade politicamente organizada de moldar o seu destino. A questão era: a comunidade possui essa capacidade?

Planos diretores fracassaram não só em São Paulo, mas no Brasil inteiro e em toda a América Latina. Fracassaram não por serem errôneos mas por tomarem os desejos pela realidade. Não obstante, a fé nos planos diretores continuou intensa nos anos 1980. O prefeito Mário Covas (1983-85) mandou fazer um projeto de Plano Diretor mas enviou-o à Câmara apenas no fim de seu mandato, então ele não chegou a ser apreciado. O prefeito Jânio Quadros (1986-88) igualmente enviou ao Legislativo o seu projeto, que também deve ter sido engavetado mas acabou sendo aprovado por decurso de prazo (vide o capítulo anterior, "Conflitos pelo uso do solo urbano"). Era o Plano Diretor em vigor durante a nossa gestão.

Esses planos diretores não tinham a intenção de afetar diretamente o crescimento da cidade. Em vez disso, apresentavam projeções das principais características de São Paulo e propunham diretrizes para otimizar o desenvolvimento. A lei resultante, que seria a essência do Plano Diretor, acabava sendo um extenso enunciado de intenções quase sem medidas substantivas a serem implementadas. Seus princípios e objetivos, que pretendiam representar a vontade coletiva dos paulistanos, haviam sido calorosamente debatidos por alguns urbanistas. Eram eles os verdadeiros crentes nas virtudes do planejamento e, como se verá, os únicos.

O debate na Sempla

Quase desde a primeira reunião do meu *staff*, a questão do Plano Diretor tornou-se objeto de intenso debate. Todos concordavam que tínhamos de formular um novo Plano Diretor para São Paulo, já que o PD-71 estava obsoleto e o de Jânio nos parecia ilegal (até a decisão favorável do Judiciário) ou pelo menos ilegítimo. Mas fora esse ponto, deixava de haver qualquer acordo. Após a maioria de membros da *staff* ter tomado uma posição, verifiquei que ele estava dividido em dois campos opostos. Um deles mantinha sua fé no planejamento urbano tradicional e nos planos diretores concebidos como o costume. Sua proposta era fazer um plano melhor que os anteriores, focalizando explicitamente os marginalizados. O outro grupo era cético em relação ao planejamento em geral e aos planos diretores em particular. Considerava-os formulações altamente idealistas de objetivos sem qualquer preocupação com a disponibilidade de meios para realizá-los.

Sendo leigo no assunto, assumi uma atitude ambivalente por algum tempo. O primeiro grupo era liderado por Luiz Carlos Costa, um urbanista veterano que havia participado na preparação de vários planos diretores. Ele tinha por isso propostas detalhadas do que um Plano Diretor deveria ou não conter, de que questões técnicas deveriam tratar e que visão de "cidade desejável" deveria inspirá-lo. O outro grupo apenas sabia o que não queria. Rejeitavam por exemplo o enunciado de princípios elevados e imagens da cidade futura diante da falta de medidas implementáveis para enfrentar a crise em que São Paulo estava mergulhada aqui e agora. Era liderado por Raquel Rolnik, jovem e brilhante urbanista que, como vimos, era também contrária à legislação de zoneamento. A maioria do meu *staff* alinhava-se com esse último grupo.

Acabei concluindo rapidamente que o governo do PT tinha que apresentar um projeto de Plano Diretor que produzisse resultados. Ele teria que anunciar *a reforma urbana* de modo que, por exemplo, os favelados recebessem a posse legal do solo urbano que ocupavam e os pobres ganhassem acesso ao solo e aos serviços urbanos básicos. Ele deveria distinguir-se de seus predecessores pelo fato de todos os objetivos propostos para a cidade terem medida implementáveis como base. Uma vez definidas essas diretrizes, o grupo contrário aos planos diretores tradicionais tornou-se vitorioso e começou a trabalhar na formulação dessa nova espécie de plano.

Fundamentos legais

A Constituição Federal de 1988 dispõe em seu artigo 182:

> A política de desenvolvimento urbano, executada pelo Poder Público municipal, conforme diretrizes gerais fixadas em lei, tem por objetivo ordenar o pleno desenvolvimento das funções sociais da cidade e garantir o bem-estar de seus habitantes. Parágrafo 1º. O Plano Diretor, aprovado pela Câmara Municipal, obrigatório para cidades com mais de vinte mil habitantes, é o instrumento básico da política de desenvolvimento e de expansão urbana. Parágrafo 2º. A propriedade urbana cumpre sua função quando atende às exigências fundamentais de ordenação da cidade expressas no Plano Diretor. Parágrafo 3º. As desapropriações de imóveis urbanos serão feitas com prévia e justa indenização em dinheiro. Parágrafo 4º. É facultado ao Poder Público municipal, mediante lei específica para área incluída no Plano Diretor, exigir, nos termos da lei federal, do proprietário do solo urbano não edificado, subutilizado ou não utilizado, que promova seu adequado aproveitamento, sob pena, sucessivamente, de: I – parcelamento ou edificação compulsórios; II – imposto sobre a propriedade predial e territorial urbana progressivo no tempo; III – desapropriação com pagamento mediante títulos da dívida pública de emissão previamente aprovada pelo Senado Federal, com prazo de resgate de dez anos, em parcelas anuais, iguais e sucessivas, assegurados o valor real da indenização e os juros legais.

Esse artigo constitui uma grande vitória dos proponentes da reforma urbana, ou seja, da expropriação pelo governo de solo urbano ocioso, mantido assim presumivelmente à espera de valorização. Sua proposta, em essência, foi incorporada à Carta Magna após árdua luta dos movimentos sociais urbanos com os constituintes. Mas o artigo reflete também a resistência dos *lobbies* dos proprietários, que conseguiram introduzir no artigo salvaguardas do direito de propriedade e sobretudo procrastinações legais. O parágrafo decisivo, o 4º, coloca como condição para as medidas contra a especulação imobiliária a elaboração de uma lei federal que até o momento – mais de seis anos depois de promulgada a Constituição – não foi aprovada. Portanto, o artigo 182 ainda não vigora.

Outra procrastinação legal é a exigência de um Plano Diretor para definir em que áreas da cidade podem ser tomadas as medidas previstas na Constituição contra proprietários de solo urbano não utilizado. No entanto, ela faz sentido, pois em cada cidade certas áreas devem ser protegidas do adensamento e mesmo da ocupação, como as áreas de mananciais, as áreas verdes e as sujeitas a erosão. Nessas áreas, a ociosidade do solo cumpre a função social e de nenhum modo deve ser objeto de sanções. A reforma urbana deve ser aplicada, nas áreas que o Plano Diretor defina como adensáveis, tendo em vista a evolução global da cidade.

A maioria de meu *staff* (que tinha ocupado posições de liderança na luta para incluir a reforma urbana na Constituição) era de opinião que a exigência de Plano Diretor fora colocada no artigo 182 para retardar a reforma, um juízo sobre intenções alheias que pode estar correto. Seja como for, as disposições do artigo 182 constituíam um incentivo especial para que déssemos prioridade à elaboração do Plano Diretor, já que alimentávamos a esperança de poder ainda em nossa gestão aplicar os dispositivos do parágrafo 4°., dando início em São Paulo à luta concreta contra a retenção especulativa de solo. Esperávamos com isso ampliar a oferta de solo urbano e derrubar os preços.

Depois da Constituição Federal, foram elaboradas e aprovadas, em 1989, constituições em todos os estados. Finalmente, em 1990 o processo foi estendido aos municípios, que receberam pela primeira vez a possibilidade de cada um fazer a sua própria Constituição, chamada de lei orgânica. Até então os municípios de cada Estado se regiam por uma única lei orgânica. Em abril de 1990, a lei orgânica de São Paulo foi aprovada, e os constituintes municipais houveram por bem incluir em suas disposições transitórias a exigência de que o Executivo remetesse à Câmara um novo projeto de Plano Diretor até 5 de fevereiro de 1991. Este passou a ser o prazo com que trabalhamos para terminar o projeto de Plano Diretor. Lamentavelmente, a lei orgânica não fixou qualquer prazo ao Legislativo para aprová-lo.

Reunião e análise de dados sobre São Paulo

O primeiro estágio de elaboração do projeto foi compilar e atualizar toda a informação relevante sobre a economia, a população, a ocupação do solo urbano e as necessidades de serviços urbanos, como transporte público, trânsito, saneamento, saúde, educação, habitação etc. da capital. A Sempla formou grupos de trabalho, contratou consultores e reuniu seminários para realizar essas tarefas, contando com a colaboração de outros órgãos do governo municipal e também do estadual, responsável por serviços básicos da cidade como água e esgoto, energia elétrica, telefonia etc. Os resultados de toda esta atividade, que durou cerca de um ano, estão reunidos no livro *São Paulo: crise e mudança*.[2]

Resumo a seguir os principais achados. São Paulo continua sendo o principal centro industrial do Brasil, mas sua participação no produto industrial nacional está em declínio. Muitas empresas estão se transferindo da capital para outros municípios da Grande São Paulo ou do Estado. Mas, mais do que nunca, no entanto, São Paulo é o centro nacional de muitos serviços. É aqui que se concentra a maioria dos serviços financeiros, das grandes editoras, das centrais sindicais, da pesquisa de mercado, da publicidade, dos levantamentos de opinião pública etc. Além disso, continua sendo a sede brasileira da indústria de alta tecnologia.

Demograficamente, a reversão das tendências do passado com o dramático declínio do crescimento populacional só se tornou conhecido pelos resultados do Censo de 1991, que desperta suspeita de subcontagem, quando divulgado. Em 1990 ou trabalhávamos ainda com projeções que indicavam que São Paulo deveria ter então 11,5 milhões de habitantes; o Censo de 1991 mostrou no entanto que esse número não passava de 9,5 milhões. Como em 1987 havia sido feito amplo levantamento amostral para o Metrô, que fundamentava as projeções, penso que é provável que a inversão do fluxo migratório tenha se dado depois dessa data. A partir de 1987, a situação econômica se agravou, atingindo mais severamente os centros industriais. O desemprego no município de São Paulo passou de 9,3% em 1987 para 11,9% em 1991 e atingiu 15,2% em 1992, último ano de nossa gestão.[3] É possível que São Paulo tenha perdido de um a dois milhões de habitantes nesses quatro anos.

---

[2] ROLNIK, Raquel; KOWARIK, Lúcio; SOMEKH, Nadia (Orgs.). *São Paulo: crise e mudança*. São Paulo: Ed. Brasiliense, 1990.

[3] SEADE/DIEESE, *Pesquisa de emprego e desemprego na Grande São Paulo.*

Nos anos 1960 e 1970, São Paulo se expandiu extraordinariamente em termos econômicos e demográficos. Nesse período o crescimento mais intenso se deu no anel exterior e na periferia da cidade, embora os diferenciais de ritmo de crescimento entre esta área, e a parte mais central estivessem em diminuição. Entre 1980 e 1987, o crescimento se reduziu e passou a ser homogêneo, não se distinguindo o seu ritmo nos anéis anteriores, no anel exterior e na periferia. Isso nos interpretado como "equalização perversa", ou seja, que a crise econômica empobrecia todas as classes trabalhadoras, tanto os estratos de renda média como as de renda baixa. Antes de 1980, os trabalhadores, após amealhar alguma poupança, conseguiam mudar para a periferia, onde adquiriam lotes baratos em que construíam casas. Depois que a situação econômica piorou, eles não puderam mais fazer isso e assim acabaram ficando nos cortiços dos anéis interiores. O número de favelados cresceu 117% entre 1980 e 1987. A Sempla estima que o número de cortiçados deve ter crescido no mesmo ritmo, devendo ter atingido 3 milhões na época em que *São Paulo: crise e mudança* foi publicado.

Essas conclusões se baseiam no levantamento amostral de 1987 comparado com os resultados do Censo demográfico de 1980. Mas os resultados preliminares do Censo de 1991 mostraram que a população dos anéis interiores de São Paulo diminuiu desde 1987. É provável que a grande emigração da cidade a partir de 1987 tenha provindo principalmente dos cortiços dos anéis interiores. Assim, o pequeno crescimento populacional que teve lugar entre 1980 e 1991 – cerca de 10% – parece que ocorreu mesmo na periferia, embora lá também o ritmo de ocupação do solo haja caído fortemente em comparação com as décadas anteriores.

Outro resultado notável foi de que os assentamentos ilegais – cortiços, favelas e loteamentos clandestinos – representavam 65% de todos os assentamentos. Ilegalidade e pobreza estão altamente correlacionadas: das moradias de menos de 125 m², 74% eram ilegais; das com 126 a 200 m² apenas 19% eram ilegais, porcentagem que cai para 7% na faixa de 201 a 500 m² e a 0 na faixa acima de 500 m². Não dá pra fugir da conclusão que os pobres estão impossibilitados de atender aos requisitos legais para ocupação do solo em São Paulo. Um dos principais propósitos do projeto de Plano Diretor que estávamos elaborando seria mudar uma situação em que apenas o terço economicamente privilegiado da população pode usufruir dos benefícios garantidos pela legislação urbanística.

Outro achado significativo foi o elevado grau de especialização das diferentes áreas da cidade por tipo de uso do solo. A ocupação do solo para fins não residenciais se concentra sobretudo numa ampla área central que se estende para o sul da cidade, onde se localiza a maioria das atividades econômicas. Na grande região leste, assim como na norte e oeste, o solo é usado quase exclusivamente para fins residenciais. Consequentemente, durante o dia a densidade populacional é máxima no centro-sul e à noite nas outras regiões. O que significa que as redes de serviço de infraestrutura – de energia elétrica, de transporte de massa, de vias públicas, de suprimento de água, de telefone etc. – são utilizadas durante uma metade do dia numa parte da cidade e durante a outra metade na outra. Embora as redes estejam disponíveis para uso o tempo todo, elas permanecem semiociosas por cerca de metade do tempo, o que representa enorme desperdício numa cidade em que boa parte dos moradores carece desesperadamente de serviços de infraestrutura. Reduzir esse desperdício mediante menor especialização da ocupação do solo passou a ser uma das metas do novo Plano Diretor.

Outra consequência da especialização espacial numa vasta metrópole como São Paulo é que obriga milhões de trabalhadores a se deslocarem diariamente por longas distâncias, o que sobrecarrega os sistemas de transporte de massa durante determinados períodos (nas horas de pico) e os deixa subutilizados no resto do tempo. Durante o início da manhã, por exemplo, o metrô lota no sentido leste-centro e no fim da tarde a lotação ocorre no sentido centro-leste. Nos outros períodos, os trens trafegam semivazios. O prejuízo causado, nesse caso, pela especialização espacial, é duplo: o enorme investimento feito no metrô é utilizado apenas poucas horas por dia, e os milhões de passageiros, nas horas de pico, sofrem de extremo desconforto em ônibus e vagões apinhados.

Levantamentos amostrais mostram que, entre 1977 e 1987, os modos de deslocamento do paulistano mudaram. A proporção de viagens por transporte de massa (metrô, ônibus e trem) caiu de 45,6% para 35,2%, a de viagens por transporte individual (principalmente por carro) quase não mudou, passando de 29,2% para 28,8%, mas a de viagens feitas a pé aumentou de 25,2% para 36,0%. O aumento das viagens a pé pode ser devido à saturação do sistema de transporte de massa, ao empobrecimento de parte da população, que deixa de ganhar o suficiente para pagar a condução, ou ao aumento do número de moradores dos anéis interiores, que estariam a uma distância menor do local de trabalho. Como nenhuma dessas hipóteses exclui as outras, todas podem ser explicações parciais da referida mudança.

Era inegável, no entanto, que as frotas de ônibus, que respondem pela maioria dos deslocamentos por transporte de massas, não tinham sido expandidas desde 1970, o que explica o fato de serem insuficientes para atender a demanda. A mesma insuficiência foi constatada em relação aos sistemas de água e de esgotos e à rede de distribuição de energia elétrica. A falta de investimento nesses serviços era a principal causa de sua crescente incapacidade de atender às demandas do público.

Um novo sistema de regulação do uso e ocupação do solo

Os princípios do novo Plano Diretor foram objeto de extensas discussões pelos grupos de trabalho e depois em reuniões do meu *staff*. O consenso finalmente alcançado entre os que eram críticos tanto da legislação existente de uso e ocupação do solo, consubstanciado principalmente no zoneamento, e da prática tradicional do planejamento urbano, foi o de que o projeto de Plano Diretor deveria conter um sistema completamente diferente e novo de regras de criação de espaço construído como resultado do uso e ocupação do solo urbano. O principal critério de permissão ou não dessa criação *seria a disponibilidade de infraestrutura urbana a ser utilizada em função do adensamento provocado*. Nas áreas da cidade onde houvesse disponibilidade de infraestrutura, a construção deveria ser estimulada para otimizar a sua utilização. Nas áreas em que a infraestrutura existente estivesse saturada e nas em que ela ainda não tivesse sido instalada, o adensamento deveria ser impedido, até que novos investimentos elevassem a disponibilidade de infraestrutura. Os incorporadores e investidores privados, beneficiados pela permissão de criar espaço construído, deveriam contribuir para um fundo com uma parcela do valor adicional derivado da criação de espaço. Os recursos do fundo serviriam para, entre outras finalidades, expandir os serviços de infraestrutura até que toda a demanda do público fosse atendida.

O que se pretendia com as novas regras era de um lado estimular a acumulação de capital na cidade pela remoção das restrições à construção, arbitrariamente impostas pela legislação do zoneamento. Em vez de mais de uma vintena de zonas distintas, cada uma sujeita a regras específicas de uso do solo e de adensamento, o território da cidade seria dividido em apenas duas: uma *zona adensável (ZA)*, em que existia infraestrutura disponível ainda não utilizada; e uma *zona não adensável (ZnA)*, em que a infraestrutura esteja sendo inteiramente utilizada (e possivelmente esteja sobrecarregada) ou onde as condições ambientais desaconselham qualquer aumento da densidade existente. A ZA seria subdividida em áreas menores, de acordo com a densidade adicional que cada uma poderia suportar. Em cada subzona, a infraestrutura ociosa – viário público, energia elétrica, suprimento de água e capacidade de esgotamento – seria cuidadosamente medida e traduzida em metros quadrados de espaço construído capazes de promover o pleno uso da infraestrutura. Esse espaço construído potencial constituiria um "estoque de área edificável".

Outra finalidade das novas regras era reunir fundos para financiar a construção de habitações para famílias de baixa renda, a pavimentação de ruas da periferia e a construção de instalações de infraestrutura, desde passarelas e viadutos até sistemas de drenagem para evitar a tragédia anual das enchentes que castigam sobretudo as vizinhanças mais pobres. Os fundos também seriam usados para conservar as áreas verdes da cidade, além de instalar novas. Esses recursos viriam da "troca" por contribuições de área edificável na zona adensável, que formariam um *fundo de urbanização*. Este era tanto mais urgente quanto mais a crise tornava escassa a receita orçamentária do município, impedindo que se pudessem financiar investimentos em habitação, infraestrutura e áreas verdes na medida das necessidades.

Convém lembrar que, além da limitação da receita corrente, governos municipais como o de São Paulo estavam virtualmente impedidos de levantar empréstimos para financiar investimentos devido às políticas de estabilização de corte ortodoxo, postas em vigor desde 1987 com crescente rigor. Um dos objetivos dessas políticas era eliminar o chamado déficit do setor público, definido como expansão do endividamento da União, estados e municípios. Embora a tomada de empréstimos por governos não possa ser considerada inflacionária, pois o aumento decorrente de gasto público é necessariamente compensado por uma redução igual do gasto privado (pois, se o setor privado empresta ao público, o primeiro tem que deixar de gastar o montante do empréstimo), a ortodoxia não entende assim e condena qualquer aumento de dívida pública como causa da inflação. Concretamente, as entidades financeiras públicas que concediam empréstimos a longo prazo para investimentos, como a Caixa Econômica Federal e o Banco Nacional de Desenvolvimento Econômico e Social, se dispunham apenas a cobrar o resgate das dívidas passadas, sem conceder novos créditos. Essa atitude pareceu tão escandalosa à prefeita que a levou a convocar uma demonstração de massa em frente à sede da Caixa Econômica em protesto contra tal política. Após parlamentarmos com a diretoria da Caixa em São Paulo, esta se comprometeu a conceder novos créditos pelo menos de valor equivalente às amortizações de dívidas vencidas, mas sequer isso foi cumprido.

A constituição do fundo de urbanização apresentava a vantagem de reforçar o erário público sem agravar o ônus tributário, já que se tratava de contribuições voluntárias de quem se propunha a investir em edificações com finalidade de lucro. O mecanismo se inspirava nas operações interligadas, em que o valor de cada contrapartida era calculado pelo valor a mais do terreno, decorrente principalmente do aumento da área edificável acima do coeficiente de aproveitamento da zona em que ele se localizava. O sistema proposto para o novo Plano Diretor era semelhante, mas muito mais simples e geral. Haveria um único coeficiente de aproveitamento para toda a cidade, que seria igual a um. Isso significava que em qualquer lote poderia ser construída *sem ônus* uma área igual à do próprio lote. Se o lote estivesse em zona não adensável, este seria o máximo de área edificável, já que não haveria infraestrutura disponível para adensamento. Se o lote estivesse em zona adensável, o incorporador poderia construir além do CA geral, adquirindo mais área edificável do estoque. O valor do metro quadrado de área adicional seria proporcional ao valor de mercado do lote com CA igual a 1.

Este sistema simplificaria extraordinariamente a concessão de autorização para construir mais espaço em comparação com as operações interligadas, que exigiam extensos estudos caso a caso e portanto demorada e dispendiosa tramitação de cada processo até a decisão final. Cada incorporador desejoso de construir em lote situado em alguma subzona adensável saberia o tamanho do estoque de área edificável da referência subzona e o preço do metro quadrado, que seria igual ao valor venal sobre o qual é calculado o Imposto Territorial Urbano. Bastar-lhe-ia submeter seu projeto a uma verificação formal e trocar a área edificável desejada pela contribuição correspondente ao fundo de urbanização. Só projetos residenciais acima de 40.000 metros quadrados ou comerciais acima de 20.000 metros quadrados, isto é, *megaprojetos*, em função de seu grande impacto sobre o ambiente urbano, continuariam sendo objetos de estudos específicos.

Concluímos que o metro quadrado de área edificável deveria ser trocado pelo valor venal do metro quadrado do lote em questão, porque em média o valor venal representa cerca de 70% do valor de mercado de cada lote. Embora pudesse ser desejável que o valor venal dos lotes estivesse mais próximo do valor de mercado, era impossível ultrapassar o limite de 70% em média pelas seguintes razões: o valor de mercado dos imóveis é bastante flutuante, variando em função de uma demanda muito especulativa. Imóveis são uma das formas preferidas de poupança "real", muitos adquirem imóveis não para usá-los mas como reserva de valor, a ser recuperado mediante revenda futura. Quando os juros das aplicações financeiras são mais atraentes, parte dos imóveis retidos para especulação é despejada no mercado, fazendo com que seu valor de mercado afunde. Como o valor venal não pode ultrapassar o valor de mercado de cada imóvel e o primeiro é fixado uma vez por ano na Planta Genérica de Valores, é preciso deixar uma margem de segurança entre o valor presumido de mercado e o valor venal e esta margem costuma ser de 30%. Ora, nas operações interligadas, como vimos no capítulo 8, a contrapartida era em média legal a 70% do valor adicionado pelos excepcionamentos concedidos. A mesma proporção seria atingida em média na troca de área edificável por contribuições ao fundo de urbanização, se o metro quadrado desta área fosse trocado pelo seu valor venal.

Outro objetivo a ser atingido pelo novo sistema de ocupação e uso do solo seria o de reduzir a especialização territorial, que como vimos acarreta subutilização da infraestrutura instalada além impor à população trabalhadora os sofrimentos do deslocamento nas horas de pico por transporte de massas. O adensamento governado pela alienação onerosa de área edificável deveria favorecer a edificação residencial nas subzonas predominantemente comerciais. Isso reduziria as distâncias entre moradia e local de trabalho e permitiria uma utilização mais equilibrada das redes de infraestrutura. Para alcançar esse objetivo, foram definidos para cada subzona *dois estoques de área edificável: um de edificações comerciais e outro de edificações residenciais.* Como o tamanho de cada estoque era em função da ociosidade da infraestrutura, nada mais natural que os estoques de área edificável residencial fossem muito maiores que os de área edificável comercial nas subzonas do centro e do sul e que o contrário se desse nas subzonas do leste, norte e oeste.

Em outras palavras, como o critério para permitir adensamento adicional era a subutilização da infraestrutura e esta era (e é) em boa medida consequência da especialização de parte do território em atividades econômicas ("comerciais") e do restante do território em uso residencial, o sistema proposto *naturalmente* levaria a misturar os usos, tornando a longo prazo todo o território abrigo tanto de edificações comerciais quanto de residências. Cumpre lembrar que no passado São Paulo era um centro predominantemente industrial e que parte das indústrias era bastante poluidora, o que exigia a separação espacial entre elas e as áreas residenciais. Atualmente ocorrências desta espécie são cada vez mais raras em São Paulo e é claro que na medida em que ainda existem elas têm que ser afastadas das áreas de moradia. Mas, como vimos, São Paulo se especializa cada vez mais em atividades de serviços e industriais de tecnologia avançada, que não são poluidoras. Por isso, a atual segregação entre locais de trabalho e locais de moradia deixa de ter qualquer justificativa, a não ser o preconceito contra morar em zonas de atividades comerciais.

A aquisição de área edificável em cada subzona em função de um projeto não poderia ultrapassar 2% do estoque total, comercial ou residencial, para evitar que um pequeno número de incorporadores pudesse monopolizar o espaço construído potencial. Se um proprietário imobiliário quisesse adquirir mais de 2% do estoque, deveria submeter o seu projeto a um Relatório de Impacto sobre o Meio Ambiente (RIMA). Se o RIMA demonstrasse que o projeto não teria impacto ambiental inaceitável e se o volume de área edificável a ser concedido não criasse um monopólio virtual de construção vertical na subzona, o pedido acima de 2% do estoque poderia ser aceito.

O projeto de Plano Diretor demarcou a zona não adensável e a zona adensável e dentro desta última delimitou 15 subzonas. Para cada subzona adensável foram definidos um estoque de área edificável residencial e outro comercial. A soma dos 15 estoques residenciais atingiu 14 milhões de metros quadrados e a dos 15 estoques comerciais atingiu 9 milhões de metros quadrados. Portanto, a equipe do Plano Diretor estimou que, em fevereiro de 1991, a infraestrutura disponível em São Paulo permitia acrescer um espaço construído total de 23 milhões de metros quadrados às áreas dos lotes existentes. É claro que estes números estariam sujeitos constantemente a mudanças. Na medida em que a área edificável nas subzonas adensáveis fosse construída, o seu uso intensificaria a utilização da infraestrutura e o estoque de área edificável diminuiria na mesma proporção. Na medida, porém, que nova infraestrutura fosse criada, eventualmente por investimentos financiados pelo fundo de urbanização, a disponibilidade de infraestrutura aumentaria e o mesmo aconteceria com os estoques de área edificável. Ou seja, os estoques não seriam fixos mas variáveis. Eles seriam consumidos por novas construções e restaurados por novos investimentos em infraestrutura.

O sistema de planejamento urbano e seus novos instrumentos

Como os estoques de área edificável estariam constantemente em fluxo, a sua administração se tornaria o principal instrumento da política de uso e ocupação do solo e a mais longo prazo do planejamento urbano. Uma das tarefas do Plano Diretor é a de definir um sistema de planejamento urbano que garanta um uso adequado, democrático e transparente dos novos instrumentos políticos criados por ele. O projeto propunha um órgão central de planejamento (presumivelmente a Sempla), órgãos descentralizados de planejamento local (subprefeituras, cuja criação foi proposta mais tarde, em projeto de reforma administrativa enviado por Luiza Erundina à Câmara e jamais apreciado) e a CNLU como órgão consultivo.

O órgão central de planejamento teria como novas atribuições analisar e emitir parecer sobre os relatórios de impactos dos megaprojetos, elaborar e divulgar um relatório anual sobre o consumo e a disponibilidade dos estoques de área edificável e rever periodicamente os referidos estoques à luz do grau de utilização da infraestrutura em cada subzona adensável. A CNLU ganharia como novas atribuições deliberar sobre os chamados "empreendimentos de impacto urbanístico" (megaprojetos) e apreciar, mediante proposta do órgão central de planejamento, os critérios referentes a definição, quantificação e distribuição dos estoques de área edificável.

A preocupação com a transparência na administração dos estoques de área edificável se justifica mediante os grandes valores envolvidos e as possibilidades de favorecimento ilícito na outorga dos direitos de construir. O que se pretendia era unir agilidade de decisão com equidade na concessão de direitos e rigor no manejo do dinheiro público. Uma proposta nesse sentido do projeto de Plano Diretor (artigo 70) dispõe que o órgão central de planejamento mantenha um sistema de informações para fornecer, o tempo todo, dados utilizados sobre os estoques de área edificável, por uso e por zona, compreendendo as diversas fases de sua utilização e disponibilidade, sobretudo a infraestrutura, sua capacidade e programas de sua ampliação e sobre as receitas e despesas do fundo de urbanização. Essa obrigação permanente de informar permitiria uma ação fiscalizatória eficaz por parte dos cidadãos interessados. Além disso, todos poderiam dispor das informações relevantes quanto às possibilidades de valorização ou desvalorização de imóveis nas subzonas adensáveis, em vez de constituir privilégio de uns poucos "dentro" da administração.

Quando da discussão das propostas para o Plano Diretor ainda dentro da Sempla, objetou-se insistentemente que o sistema de outorga mais ou menos automática de direitos de construir em troca de contribuição ao fundo de urbanização eliminaria qualquer proteção das vizinhanças contra usos incômodos, hoje parcialmente banidos pelo zoneamento e sujeitos a deliberação da CNLU no caso das operações interligadas. A objeção se referia aos conflitos urbanos de que tratamos no capítulo anterior e que de modo algum eram bem resolvidos pela legislação do zoneamento.

Independentemente do juízo que se faça a respeito desta última, a objeção era válida no sentido de que o novo sistema de uso e ocupação do solo não previa salvaguardas para as vizinhanças que se sentissem prejudicadas por uso incômodo do espaço na proximidade. Após muito debate, conclui-se que os conflitos urbanos quase sempre derivam de choques de interesses de âmbito local e que portanto poderiam ser mais bem resolvidos nesse âmbito

Resolveu-se propor que as subprefeituras teriam como atribuição controlar e fiscalizar os usos incômodos no âmbito de seu território. Além disso, o projeto de Plano Diretor previa regulamentações locais, baixadas pelas subprefeituras, referentes à definição e à localização de usos incômodos com relação a ruído, geração de tráfego e odor e à definição do sistema de circulação e tráfego de caráter local. Assim, os pedidos de fechamentos de ruas, por exemplo, seriam resolvidos no âmbito das subprefeituras, onde a representação das comunidades beneficiadas e prejudicadas deveria ser mais direta e por isso mais efetiva.

Restava desenhar a gestão do fundo de urbanização. Quando da discussão da proposta, porta-vozes do empresariado defenderam a ideia de que o fundo descentralizado por subzona e os recursos fossem necessariamente aplicados na subzona em que tivessem sido arrecadados. Como as subzonas se localizavam nas áreas mais bem providas de infraestrutura, onde era maior o valor da terra e moravam os estratos de renda acima da média, a descentralização do fundo implicaria aprofundar a diferença entre essas áreas e a periferia, desprovida de infraestrutura (por isso não adensável) e onde habitavam os pobres. Por isso não aceitamos a ideia, já que o propósito principal do fundo era viabilizar investimentos em infraestrutura onde esta fazia mais falta, ou seja, na periferia. Mas para garantir a transparência, o projeto propunha que o fundo fosse administrado por um conselho integrado por representantes do poder público e da sociedade civil e que os recursos dele fossem aplicados segundo um plano anual a ser aprovado pela Câmara juntamente com a proposta orçamentária.

Zonas e área de interesse especial

Além da regulamentação local, o projeto de Plano Diretor também enfrentava a diversidade de São Paulo através da definição de diversos tipos e zonas de interesse especial. As *zonas de interesse especial* eram porções de território com destinação específica e normas próprias de uso e ocupação do solo. Dividiam-se em *zonas especiais de interesse social*, destinadas primordialmente a habitações de interesse social; *zonas especiais de preservação* do patrimônio histórico, paisagístico, cultural ou ambiental, e *zonas especiais industriais,* reservadas para este uso.

Áreas de interesse especial eram porções do território em que vigorariam controles adicionais além dos gerais. Eram as seguintes: *áreas de interesse urbanístico* que, "em razão de sua unidade ou de seu caráter estrutural ou de sua importância histórica, paisagística e cultural", deviam ser objeto de regulamentação específica tendo "por base a definição de volumetria e gabaritos, que servirão de parâmetros para a distribuição dos estoques de área construída por uso"; *áreas de interesse ambiental*, em que as características do meio físico exigem controles adicionais de parcelamento, uso e ocupação do solo.

Essas zonas e áreas de interesse capacitariam o poder público a enfrentar necessidades específicas em função de peculiaridades sociais, culturais ou físicas dessa porção do território. As mais importantes delas, para nós, eram as ZEIS – zonas especiais de interesse social –, que deviam ser um dos principais instrumentos de integração das camadas espacialmente marginalizadas. O projeto definia quatro espécies de ZEIS: 1 – terrenos ocupados por favelas; 2 – loteamentos clandestinos; 3 – terrenos vagos destinados a programas habitacionais de interesse social; e 4 – áreas de cortiços. Propunham que o Executivo elaborasse plano de urbanização para as ZEIS de modo a fixar e normalizar as condições de moradia da grande massa de baixa renda, relegada a assentamentos desumanos, e que promovesse a regularização fundiária nas ZEIS, utilizando a concessão de Direito Real de Uso para as favelas localizadas em áreas públicas. Propunha também a participação do setor privado nos programas de habitação popular e, para viabilizá-la, dispunha que fosse gratuita a outorga de autorização para construir área superior à do coeficiente único, desde que destinada a habitações de interesse social.

As demais zonas e áreas especiais de interesse constituíam instrumentos de intervenção do poder público no processo de urbanização para garantir o interesse comum de preservação do meio ambiente e do patrimônio histórico e a localização adequada de atividades industriais. A criação de zonas especiais industriais tinha também por objetivo atrair investimentos à capital, pois sua desindustrialização prejudica o equilíbrio desejável entre atividades manufatureiras e de serviços. Essas zonas e áreas eram a contrapartida da abolição do atual zoneamento; em seu lugar o novo sistema de uso e ocupação do solo estabelecia regras muito mais simples e por isso mais transparentes de adensamento, complementadas por um número limitado de exceções. Integrava o projeto de Plano Diretor um mapa em que as zonas e áreas de interesse especial estavam delimitadas, o que significava que a criação de novas zonas ou áreas exigiria emenda ao Plano Diretor, aprovada por maioria qualificada da Câmara Municipal. Com isso pretendia-se evitar o desfiguramento do sistema através de uma sucessão de exceções casuísticas.

A discussão da proposta de Plano Diretor

A Sempla não desejava apenas formular uma proposta tecnicamente excelente e politicamente avançada; pretendíamos, além disso, ganhar tanto apoio quanto possível para o projeto durante o processo de sua elaboração. Logo, a consulta tornou-se a principal estratégia para envolver o maior número de grupos de interesse, obter ideias e sugestões valiosas e ao mesmo tempo fazer com que se sentissem comprometidos com o projeto.

Esse propósito mostrou-se nada fácil de alcançar porque a maioria dos grupos de interesse não tinham ideia de quanto as políticas de uso e ocupação do solo de fato os afetavam. Somente os representantes de arquitetos, incorporadores, construtores, corretores de imóveis e semelhantes estavam motivados a gastar tempo e energia com uma questão tão especializada aparentemente quanto um Plano Diretor. Essas associações profissionais e empresariais tendiam a representar antes os interesses das classes proprietárias do que das dos pobres. O que na Sempla precisava era a participação maior de movimentos sociais, sobretudo dos que falavam pelos sem-teto, favelados, cortiçados e compradores de terrenos em loteamento clandestino. Apesar de todos os esforços das equipes da Sempla para mobilizá-los, sua participação foi pequena – muito menor do que a das associações de profissionais e empresários ligados à produção imobiliária.

A maior parte de 1989 foi gasta no debate interno na Sempla e no levantamento e processamento de dados. Esse trabalho foi realizado principalmente por grupos de trabalhos dirigidos por membros da *staff* de Sempla que incluíam técnicos de várias secretarias municipais e empresas públicas estaduais como a Eletropaulo, o Metrô e a Comgás. Participaram também técnicos da Empresa Metropolitana de Planejamento da Grande São Paulo (Emplasa) e da Secretaria Estadual do Meio Ambiente. A contribuição intelectual desses técnicos foi de grande valia. Mas isso infelizmente não aliava ao projeto as organizações para as quais trabalhavam.

A Sempla aproveitou o lançamento de *São Paulo: crise e mudança*, em agosto de 1990, para anunciar o debate público do futuro Plano Diretor. Em ato oficial, realizado no Teatro Municipal com a presença da prefeita Luiza Erundina, apresentaram-se os principais resultados da pesquisa realizada pela Sempla e marcou-se uma série de audiências públicas sobre o Plano Diretor. Numerosas entidades seriam consultadas: universidades e centros de pesquisa; empresas de serviços públicos; sindicatos de trabalhadores e de empresários; movimento de favelados, cortiçados e sem-teto; sociedades de amigos de bairro e associações de moradores; e por fim, mas não por último, partidos políticos. Além das audiências, debates com vereadores seriam realizados sobre os principais temas do Plano Diretor. Desejava-se, assim, mobilizar todos os setores da sociedade civil para que o futuro Plano Diretor resultasse de ampla troca de ideias, sem excluir qualquer interlocutor relevante.

As audiências e os debates ganharam apoio às principais propostas do novo sistema de regulação do espaço urbano por parte de colegas do governo, dos movimentos sociais, do Partido dos Trabalhadores e dos partidos de esquerda, nossos aliados. Mas eles também provocaram a oposição decidida dos representantes da comunidade de negócios, em particular dos representantes das atividades imobiliárias, além de poucos mas engajados defensores do atual zoneamento e inimigos do adensamento nas áreas mais bem servidas de infraestrutura. Muitos interlocutores de grande expressão social ficaram neutros ou se mostraram desinteressados. De qualquer forma, a coalizão que se esboçou a favor da proposta foi muito estreita, praticamente limitada aos setores que davam apoio ao governo. Como a oposição já tinha aberto as baterias contra as ideias da proposta e contava com bastante espaço na mídia, resolvemos abrir negociações para chegar a algum acordo ou ao menos para que a proposta a ser apresentada tivesse apoio mais amplo do que a coligação situacionista.

A principal objeção dos porta-vozes do empresariado à proposta era de que a redução de todos os coeficientes de aproveitamento para 1 constituía uma expropriação de direitos de propriedade de todos os donos de terrenos com direito a um CA acima de 1. Seus direitos de construir integravam o valor de seu imóvel, o qual se reduziria na proporção em que fossem diminuídos aqueles direitos. Essa redução de valor era intencional. Era bom que o preço do solo urbano caísse mediante a restrição dos direitos "gratuitos" de construir. Mas, em compensação, incorporadores e investidores teriam o direito de adquirir mais área edificável e portanto de construir mais, partilhando com a cidade o valor adicional assim criado. Estávamos convencidos de que a proposta redistribuiria riqueza, tirando-a dos proprietários passivos de terra e dando-a aos incorporadores e investidores em construções e aos cidadãos em geral.

O que me surpreendeu foi que, na ausência de representantes dos proprietários fundiários, os dos empresários tomaram a defesa dos interesses daqueles. Alguns duvidavam que os preços da terra cairiam ao todo, pois supunham fixados unilateralmente pelos vendedores, que, mesmo tendo o seu CA reduzido a 1, continuariam a pedir o mesmo que antes pelos imóveis. Nesse caso, o custo adicional de construir, representado pela contribuição ao fundo de urbanização, oneraria o preço do produto final. Outros concordavam que os preços da terra cairiam para vendedores mas que o custo para os incorporadores aumentaria, com a diferença indo para o Tesouro municipal. Ou seja, para eles a proposta que defendíamos expropriava todos os proprietários, os passivos que retinham a terra e os ativos que a usavam para construir.

É claro que era impossível predizer o que ocorreria em cada caso concreto se nossa proposta fosse aprovada, pois cada terreno é um caso único em termos de localização etc. e também em termos de direitos de seu proprietário, determinados pela legislação do zoneamento. A avaliação possível de ser feita era global: haveria uma redução global do direito "gratuito" de criar espaço construído, mas a disponibilidade total de espaço a construir seria maior. Se o preço da terra é determinado pela interação entre procura total e oferta total de espaço a construir, então a adoção do novo sistema de uso e ocupação do solo levaria a uma queda do referido preço. Se, no entanto, os valores fundiários resultam *não só do tamanho mas também do custo da oferta de espaço a construir*, então a variação dos preços com a substituição do sistema de então pelo novo estaria sujeita a duas forças opostas e a resultante dependeria, em cada terreno, do montante da área edificável que passaria de "gratuita" a "onerada".

No entanto, mesmo que os críticos da proposta tivessem razão de que os recursos a serem entregues ao fundo de urbanização de alguma forma pesarem nos custos de construção, deveriam ter considerado também que o fundo seria totalmente dedicado ao financiamento de habitações de interesse social e investimentos em infraestrutura e áreas verdes, elevando a demanda por serviços de construção. Assim sendo, incorporadores e construtores estariam fadados a ganhar com o novo sistema de uso e ocupação do solo, não importa em que direção variasse o preço da terra.

Isso nos pareceria lógico, e para demonstrá-lo de forma insuspeita contratamos professores de Economia da USP como consultores para modelar os efeitos econômicos previsíveis do projeto de Plano Diretor, não conseguimos convencer os representantes dos arquitetos, construtores e incorporadores. Numa conversa particular, um deles me revelou que o inaceitável para eles era a *venda* de área edificável. No passado, eles tinham concordado com a redução de direitos a construir, mas jamais com a transferência destes ao governo, para que os revendesse. Eles poderiam aceitar uma redução de uma vez por todas dos coeficientes de aproveitamento, mas nunca sua expropriação pelo Estado. Percebi que a motivação ideológica para os representantes do capital era tão forte quanto para os representantes do trabalho.

A percepção ideológica estava impedindo os representantes de arquitetos, construtores e incorporadores de enxergar com isenção onde estavam seus interesses materiais. Poder-se-ia indagar se o novo sistema de uso e ocupação do solo encontraria tanta resistência se tivesse sido formulado por um governo conservador. O fato de o governo de Luiza Erundina ser de esquerda deve ter provocado todo tipo de receios e mal-entendidos a respeito de uma proposta que já era prática rotineira na Europa Ocidental. Os representantes do capital encaravam o Partido dos Trabalhadores e seu governo paulistano como inimigos de classe, o que obviamente não estava de todo errado. Mas eles estavam errados ao presumir que nosso objetivo principal fosse o de expropriar a classe capitalista de sua riqueza. Àquela altura, a maioria dos governos petistas já tinham descoberto que, a não ser que haja uma ampla mudança nos direitos de controle sobre a propriedade, muito pouco pode ser realizado por expropriações parciais.

Nosso objetivo mais importante era redistribuir renda e reverter o crescente abismo entre ricos e pobres pelo alívio das piores carências do trabalhador. Tal objetivo requer que o investimento de capital faça crescer sistematicamente o rendimento global e que uma parcela crescente deste financie serviços públicos e a aquisição privada de bens pelos trabalhadores e suas famílias. Estava claro para nós que promover a inversão de capitais e expropriar a riqueza capitalista eram objetivos incompatíveis. Nosso problema político, nesse caso, não era ocultar as intenções reais mas expor de forma convincente o que de fato desejávamos. Nossa proposta de Plano Diretor visava apenas eliminar privilégios – os direitos gratuitos de construir acima de CA igual a 1 – e restrições indevidas ao direito de construir – impostas pelo atual zoneamento. Tínhamos certeza de que o efeito redistributivo da proposta prejudicaria apenas um punhado de proprietários, os detentores de terreno em zonas de CA maior que 1. Esperávamos que ela desencadeasse um fluxo poderoso de investimentos em construção residencial e não residencial do qual resultasse em um aumento de rendimento, do qual apenas uma parte seria canalizada para o fundo de urbanização. Quando finalmente se esgotou o prazo para apresentar a proposta sob forma de projeto de lei de Plano Diretor, decidimos incluir nele todas as provisões que julgávamos necessárias, sem fazer concessões aos críticos, porque sabíamos que ele seria modificado em função das negociações na Câmara. A única concessão que consideramos que valeria a pena incluir no projeto foi um período de transição para a redução dos direitos de construir. Assim, os detentores de lotes com CA acima de 1 poderiam fazer valer seus direitos se apresentassem projetos de construção ao poder público nesse sentido até seis meses após a promulgação do Plano Diretor. Durante os seis meses seguintes, apenas três quartos do espaço a construir com CA acima de 1 poderiam ser garantidos mediante apresentação de projetos nesse sentido. No terceiro semestre após a promulgação do novo Plano Diretor, o uso do direito de construir com CA acima de 1 estaria restrito à metade, e no quarto semestre a um quarto. Esgotado o período de transição de dois anos, todo proprietário teria o direito de edificar não mais que a área do lote, podendo adquirir mais área, desde que situado na zona adensável, dos estoques de área edificável em troca de contribuição ao fundo de urbanização.

Essa provisão dava aos detentores de lotes vagos uma oportunidade de usar seus direitos de construir antes de perdê-los. Com isso estaríamos dando uma satisfação aos que se queixavam de que o projeto expropriaria direitos de construir indiscriminadamente. Só os que insistissem em manter esses direitos sem uso os perderiam e ainda assim gradativamente. Havia a expectativa também de que a anulação gradual dos direitos de construir com CA acima de 1 induziria muitos proprietários a construir para não perdê-los ou a vender o imóvel a incorporadores para que estes se apressassem a construir antes de perder os direitos de fazê-lo grátis. Como resultado, os investimentos em construção cresceriam. Haveria, além disso, grande aumento da oferta de terra para construção, o que deveria deprimir seu preço.

A ideia de um período de transição foi originalmente apresentada por representantes dos incorporadores e construtores, mas sua duração seria de cinco ou dez anos. Nós achamos que isso adiaria indevidamente os efeitos do Plano Diretor. Só seria razoável renunciar aos recursos provenientes da outorga onerosa de espaço a construir à medida que isso provocasse a reanimação da atividade construtiva, na época muito deprimida por efeito do Plano Collor I. Para limitar o montante da renúncia e provocar efetivamente a reanimação, o período de transição não poderia ser muito longo.

A recepção do projeto de lei

Nas semanas anteriores à data fatal de 5 de fevereiro de 1991, o pessoal da Sempla trabalhou febrilmente para completar o projeto, que acabou sendo bastante complexo e extenso. Enquanto se terminava o projeto, numerosas reuniões foram feitas para explicar o novo Plano Diretor à prefeita e demais membros do governo, aos vereadores da coligação governista, à liderança do PT e finalmente à imprensa. Antes de ser submetido à Câmara, o projeto tinha de passar pela Comissão Normativa da Legislação Urbanística. Na discussão do projeto os representantes das entidades empresariais deixaram claro a sua discordância dele, sem poupar elogios à sua qualidade técnica. A resolução adotada pela CNLU explicitou que ela endossava todas as medidas propostas pelo projeto, mas o considerava digno de apreciação pelo Legislativo.

Assim em 5 de fevereiro de 1991 no prazo exato marcado pela lei orgânica do município, o projeto de novo Plano Diretor foi enviado à Câmara Municipal. A imprensa fez ampla cobertura, dando proeminência a uma proposta que eventualmente poderia mudar o futuro de São Paulo. Lembro-me que falei infindavelmente com repórteres (em geral, junto com Raquel Rolnik, que dirigiu todo o processo e concebeu o novo sistema de uso e ocupação do solo), tentando explicar que mudanças na administração do espaço urbano resultariam do novo Plano Diretor. Depois de tudo dito, a mesma pergunta voltava a ser feita: qual seria na prática o efeito para o cidadão comum, o que ele ganharia? Uma resposta honesta tinha que começar com longa lista de condicionais: se houvesse disposição do setor privado de investir, se as novas construções fossem localizadas nos lugares certos, se novos empregos fossem criados em áreas hoje predominantemente residenciais, e assim por diante. Porém, obviamente o que a imprensa queria, e através dela, a opinião pública, era uma resposta direta e sem ambiguidade, que não podíamos dar sem chafurdar na demagogia.

Esta se tornou a barreira intransponível na luta pelo novo Plano Diretor, que foi elaborado para favorecer o povão. Essa mesma barreira já tinha se tornado aparente quando da feitura das novas constituições brasileiras: a federal em 1987-1988, as estaduais em 1989 e as leis orgânicas municipais em 1989-1990. Embora muitos grupos de interesse tivessem se mobilizando para disputar questões concretas (a maioria das quais sequer pertenciam ao âmbito constitucional), as principais regras que governam a vida institucional foram decididas sem qualquer pressão do movimento popular. Em geral, questões concorrentes a regras que prescrevem e limitam comportamentos sociais ou individuais mobilizam apenas especialistas. Era o caso do Plano Diretor que defendíamos para São Paulo. Ele consistia basicamente num conjunto de novas regras que governariam a produção, a ocupação e o uso do espaço urbano.

Teria sido mais fácil mobilizar apoio popular à proposta se tivéssemos enfatizado metas com muitos zeros de construção de moradias populares ou de melhoria do transporte de massas, mas não quisemos fazer isso. Acho que nossa crença na democracia e nosso respeito pelo povo impediram-nos. Felizmente. Mas, assim agindo, acabamos despertando os receios dos que poderiam sofrer perdas e dos que interpretavam o projeto equivocadamente, e não conseguimos mobilizar os que tinham a ganhar com o novo plano.

Pouco após a apresentação oficial do projeto à Câmara, doze associações empresariais, entre as quais os institutos de arquitetura e de engenharia e os sindicatos de construtores, assinaram um manifesto contrário ao projeto. Que a maioria das entidades empresariais se opusesse não era surpresa. Apenas o posicionamento do Instituto Brasileiro de Arquitetura em São Paulo foi inesperado, pois parecia não haver um consenso claro a favor ou contra o projeto entre seus membros. Alguns dos arquitetos mais importantes de São Paulo iriam mais tarde servir de intermediários em negociações entre nosso governo e os "doze".

Em resposta, começou-se a preparar um manifesto de apoio ao projeto, a ser subscrito por movimentos sociais e sindicatos de trabalhadores. Mas levou tanto tempo a reunião das assinaturas que, quando ficou finalmente pronto, recebeu cobertura mínima da imprensa. Seguiu-se uma série de debates, todos em importantes associações empresariais. Juntamente com Raquel Rolnik, participei de um seminário de dia inteiro promovido pelo SindusCon, o sindicato da construção civil de São Paulo, e de uma mesa-redonda organizada pela FIESP. Conhecidos urbanistas foram convidados a participar em ambos. A maioria elogiou a qualidade técnica do projeto, mas se posicionou contra o novo sistema de uso e ocupação do solo. Embora muitos declarassem estar de acordo com o princípio de onerar o direito de criar espaço construído, preferiam outras abordagens para implementá-lo. As lideranças empresariais quase não participaram dos debates, talvez por considerarem o assunto complicado demais, apenas acessível a especialistas.

Na FIESP, meu principal opositor foi o ex-prefeito Figueiredo Ferraz, em cujo mandato promulgou-se o primeiro Plano Diretor da cidade e a seguir a lei de zoneamento. Ele ficou famoso por ter se oposto publicamente ao crescimento da capital, numa época (no início dos anos 1970) em que ela estava se expandindo rapidamente. Como seria de se esperar, ele atacou nosso projeto porque ao ver deles atrairia migrantes a São Paulo. Ele achou o novo Plano Diretor tecnicamente consistente, até mesmo hábil, mas considerou nossas intenções de regularizar e urbanizar favelas e prover moradia barata aos pobres prova cabal de que o governo pretendia atrair milhares de imigrantes à capital. Esta é obviamente a argumentação clássica de Malthus: o que quer que se faça a favor dos pobres apenas multiplica o seu número e portanto a quantidade e as necessidades insatisfeitas. O que realmente me surpreendeu foi que os industriais paulistas tivessem escolhido um debatedor com esse tipo de abordagem para avaliar o novo Plano Diretor.

O debate também envolveu a universidade. O Instituto de Estudos Avançados da USP convidou Raquel Rolnik e eu para apresentar o projeto de Plano Diretor ao seu grupo interdisciplinar de assuntos urbanos. A principal crítica levantada nesse debate contra o projeto foi a de que nosso Plano Diretor não era um "plano", pois não mensurava nem projetava cada uma das necessidades da cidade nem propunha medidas para satisfazê-las. Os professores não pareciam preocupados com a factibilidade de metas e prazos, que são fáceis de colocar no papel e em tempos de crise (como estávamos então) simplesmente não se cumprem. Aparentemente, para eles um Plano Diretor era um exercício intelectual. Pouco lhes importava se o governo municipal teria os meios para cumprir as tarefas definidas pelo plano ou se teria possibilidades de induzir o capital privado a fazer as inversões que o plano considerasse necessárias. O que importava apenas era a compreensão do desenvolvimento da cidade e a consistência lógica entre os fins propostos e os meios escolhidos. Embora eu também seja professor universitário, impressionou-me o enorme abismo entre os interesses dos acadêmicos e os imperativos dos que se sentem responsáveis pela cidade.

Negociando o consenso

Com o projeto na Câmara, esperávamos que um processo de negociação começasse, que o tomaria como base para elaborar um Plano Diretor capaz de ser aprovado pela maioria qualificada do plenário. Mas, em vez disso, nada aconteceu. Além do Plano Diretor, o Executivo tinha apresentado ao Legislativo vários outros projetos que visavam provocar mudanças de grande alcance em São Paulo, como a regularização de favelas e loteamentos clandestinos, a municipalização do serviço de ônibus e um novo Código de Edificações. Esses projetos eram de importância vital para o governo. Por isso mesmo era de interesse da oposição ignorá-los.

Em 1991, a coalizão oposicionista tinha alcançado a maioria na Câmara e ganhou a presidência dela para um de seus membros. Isso lhe permitia selecionar as matérias que seriam submetidas ao plenário. Não permitir que os projetos do Executivo fossem apreciados era, para a oposição, uma tática melhor do que simplesmente rejeitá-los. A rejeição pura e simples de projetos que tocavam em problemas importantes seria mal recebida pela opinião pública, que a veria como atitude obstrucionista. É claro que a oposição poderia também modificar os projetos enviados pelo governo, como acabou fazendo com os da municipalização do transporte coletivo e o do Código de Edificações, aprovando substitutivos a seu gosto. Mas projetos como o do Plano Diretor ou do Código de Edificações exigiam quórum qualificado, o que significava que teriam que ter também os votos do Partido dos Trabalhadores e seus aliados. Em outras palavras, para aprovar um Plano Diretor, a oposição teria que fazer concessões ao governo e a opinião pública poderia identificá-lo como iniciativa do Executivo. Por tudo isso, a oposição preferia engavetar os projetos de maior fôlego do governo e discutir outros.

Mas também para a bancada situacionista o Plano Diretor não era prioritário. O projeto tinha apoio formal dos movimentos sociais, sendo ao mesmo tempo ativamente combatido pelos *lobbies* empresariais. Seria ingenuidade esperar até mesmo dos vereadores petistas muito empenho em pôr o projeto de Plano Diretor na ordem do dia.

Quando ficou claro para nós que o projeto de Plano Diretor não tinha chances de ser discutido pelo Legislativo, decidimos encetar negociações com nossos principais adversários fora da Câmara. Isso tornou-se possível porque alguns dos arquitetos mais importantes da cidade (que provavelmente haviam mobilizado os "doze" contra nosso projeto) desejavam um novo Plano Diretor e partilhavam com a equipe da Sempla as preocupações com as falhas do zoneamento. Eles eram os peritos de confiança dos maiores incorporadores e investidores e estavam ligados a todos os partidos oposicionistas, dos mais conservadores aos autodesignados social-democratas. Além disso, as relações pessoais desses arquitetos com os urbanistas de meu *staff* eram surpreendentemente boas. Cada lado respeitava a competência profissional e o amplo conhecimento teórico e prático do outro.

Assim, um pequeno grupo de dirigentes da Sempla – Raquel Rolnik, Flávio Villaça e outros membros do *staff*, além de mim – começou a se encontrar com Júlio Neves, Carlos Bratke, Alberto Botti e uns poucos outros em um de seus escritórios. Esses encontros não eram propriamente secretos mas poderiam ser chamados de confidenciais, no sentido de que apenas as cúpulas políticas tinham conhecimento deles: a prefeita Luiza Erundina e alguns poucos membros do governo de um lado, e os dirigentes das doze entidades que haviam se posicionado em conjunto contra o projeto do outro.

O sucesso de negociações como essas depende muito das personalidades envolvidas. Todos nos sentíamos livres para seguir nossas convicções pessoais no esforço de provocar as mudanças que considerávamos importantes para a cidade. Esse sentimento de estar à vontade em discutir e transacionar provinha que sabíamos ter a plena confiança dos que representávamos. É claro que ninguém imaginava que o governo ou o empresariado aceitaria qualquer coisa que combinássemos entre nós, mas tudo o que nós considerássemos bom para a cidade assim seria julgado por eles. De modo que, até que se atingisse um estágio bastante avançado na feitura de um projeto consensual de Plano Diretor, não haveria necessidade de consultas frequentes. Isso ajudou o trabalho do grupo e permitiu alcançar um texto aceitável para os dois lados.

O grupo começou por definir o caráter do Plano Diretor e seus objetivos. Em poucas sessões pudemos produzir um rascunho consensual que continha também os princípios de nossa proposta. O Plano Diretor definiria objetivos para as seguintes políticas: uso do solo, vias e transporte, habitação, ambiente e preservação, atividades econômicas, educação, saúde e recreação e planejamento territorial. Os objetivos mais importantes estavam ligados ao uso do solo: tornar realidade a função social da cidade e da propriedade urbana; racionalizar e otimizar a utilização da infraestrutura existente; propor novas formas de urbanização. Entre os objetivos da política de vias e transporte estavam os de melhorar e expandir o sistema de transporte, com prioridade total ao transporte público, dando ao coletivo não poluente preferência em relação ao individual. A política habitacional teria por objetivos, entre outros, expandir a oferta de moradias novas para os estratos de renda mediana do mercado formal, assegurar recursos para investimento em habitações de interesse social, infraestrutura e equipamentos sociais e priorizar a habitação para a população de baixa renda.

Para nossa surpresa, o consenso sobre instrumentos também não foi difícil. Mas aqui nossos oponentes impuseram uma limitação: *nada no Plano Diretor poderia ser diretamente aplicável*. Cada provisão teria que depender de especificação posterior mediante lei ordinária. Isso significava abrir mão de uma de nossas metas principais, a da qual a administração do espaço urbano em São Paulo começasse a mudar sem depender da ultrapassagem de novos obstáculos legais. De acordo com a imposição do outro lado, da qual não conseguimos demovê-lo, o Plano Diretor diria muitas das coisas que queríamos, mas seria meramente declaratório, sem qualquer efeito imediato sobre o uso e ocupação do solo urbano.

Esta era uma pílula amarga, mas não nos restava outra alternativa. Se insistíssemos que o Plano Diretor tinha que ter provisões diretamente aplicáveis, não se chegaria a um projeto de consenso e em consequência nenhum Plano Diretor novo seria aprovado. Concluímos, portanto, que seria melhor ter um plano apenas declaratório, que ao menos apresentaria novas ideias que teriam depois alguma chance de serem ratificadas por legislação ordinária, do que ficarmos com nada exceto o plano natimorto de Jânio Quadros.

À base desse raciocínio continuamos trabalhando no novo projeto. Para cada grupo de objetivos, formularam-se diretrizes sobre como deveriam ser implementados. Entre as diretrizes da política de uso do solo havia as seguintes: ajustamento do uso e ocupação do solo ao potencial da infraestrutura e do meioambiente; e criação de mecanismos para permitir aumento de investimentos da infraestrutura urbana, vias públicas, áreas verdes e habitações de interesse social mediante empreendimentos especiais como contrapartida de mudanças em parâmetros de uso e ocupação do solo. Estes eram, naturalmente, os elementos essenciais de nossa proposta de Plano Diretor que fora tão criticada. Os mesmos representantes que tinham se oposto a ela como sendo prejudicial aos mercados imobiliário e de construção agora a aceitavam em princípio, sob a forma de uma diretriz geral.

Além disso, o Plano Diretor preveria a revisão futura do zoneamento à luz da criação de propostas de duas zonas, uma adensável e outra não adensável. Também foram mantidas as zonas especiais de interesse e duas novas foram adicionadas às que constavam em nosso projeto: uma em que o adensamento seria encorajado e outra para a realização de operações urbanas. Nossos oponentes aceitaram também os estoques de área edificável, sob novo nome: reservas edificáveis. Essas foram definidas como "a área total, que pode ser construída numa zona existente ou em parte dela, acima do CA máximo previsto por lei". O texto consensual declarava que a reserva edificável seria estipulada por lei, diferenciada por uso residencial e não residencial, e determinada pelo potencial do sistema viário, da infraestrutura existente, tendências locacionais dos diversos usos do solo e das políticas de desenvolvimento urbano. Finalmente, concordou-se que a área edificável poderia exceder o CA máximo desde que reservas edificáveis estivessem disponíveis: o valor correspondente à área acima do CA seria paga e os fundos resultantes seriam dedicados à infraestrutura urbana, ao sistema viário, a novas áreas verdes e habitações de interesse social.

Assim, a proposta de um sistema inteiramente novo de administração do solo urbano sobreviveu no plano consensual, mas não a uniformização de todos os coeficientes de aproveitamento como um CA igual a 1, ou seja, a "expropriação" do direito a construir. A proposta consensual mantinha explicitamente os atuais direitos, com a inovação de os proprietários poderem adquirir espaço adicional das reservas edificáveis para construir acima do CA atual. O projeto consensual manteve o limite máximo de CA igual a 4 atualmente em vigor, inclusive para o espaço adicional adquirido. Ninguém poderia construir além desse limite, portanto quem já possuía CA igual a 4 não poderia adquirir mais espaço, quem possuía CA igual a 3 poderia adquirir apenas um terço a mais do espaço a construir de que dispunha, e assim por diante.

A manutenção do limite máximo de CA igual a 4 foi uma exigência dos que falavam pelo empresariado; nós representando os trabalhadores, achávamos que não havia necessidade de limite máximo, já que o adensamento em si não é um mal e em algumas localizações a aplicação de um CA acima de 4 poderia ser bastante apropriada. Isso revelou-se uma inversão de posições paradoxal. Nossos parceiros de negociação partilhavam a noção de que a cidade tinha que ser protegida contra o adensamento excessivo, enquanto nós, do governo de Luiza Erundina, estávamos mais preocupados com a subutilização da infraestrutura e com os cidadãos que careciam de habitações adequadas.

A questão do limite absoluto de aproveitamento de 4 vezes a área do lote lança luz sobre diferenças de concepção entre as partes da negociação. Os urbanistas que representavam a Sempla eram contrários a restrições quantitativas gerais do direito de construir porque elas não podem deixar de ser arbitrárias. Em muitos casos específicos, essas restrições se mostram sem sentido ou até contraproducentes, o que faz surgir emendas que abrem exceções. Com o passar do tempo, o acúmulo de casuísmos torna a regulamentação muito complexa, acessível apenas a especialistas, em detrimento do cidadão comum, obrigado a recorrer aos primeiros para encontrar o caso em que se encaixam suas necessidades. Afinal, cada localização na cidade é única, com seus próprios requerimentos e suas próprias externalidades. Como o regulamento não pode dar conta de todas as especificidades, o melhor é ter regras gerais flexíveis e confiar sua aplicação a órgãos compostos por representantes do governo e dos principais setores da sociedade civil.

Urbanistas conservadores, como nossos parceiros de negociação, desconfiam de órgãos oficiais e de governos em geral. Preferem limitar o escopo de decisão das autoridades e restringir o direito de construir por regras gerais. Para eles, a abordagem caso a caso é muito mais arbitrária do que a aplicação de limites quantitativos gerais. Mesmo que em casos específicos a limitação não sirva a qualquer propósito, eles consideram isso um custo que vale a pena pagar pelo benefício de todos os competidores no mercado imobiliário estarem submetidos às mesmas regras.

A manutenção do limite máximo de aproveitamento foi uma concessão aos inimigos do adensamento, que temem e detestam as mudanças na paisagem urbana, particularmente a verticalização. Nossos oponentes sofriam de uma contradição interna: como representantes do capital imobiliário necessitado de espaço para seu produto, favoreciam a revisão do zoneamento e a outorga onerosa de área edificável acima dos CA em vigor; como participantes da classe média residente em áreas nobres da cidade, receavam as intervenções pesadas do mesmo capital imobiliário que poderiam ameaçar a qualidade ambiental dessas áreas e por isso insistiam na preservação do limite máximo ao aproveitamento.

O ato final

O projeto consensual do Plano Diretor ficou pronto no início de 1992. Começaram então as consultas, mais complicadas do lado das "doze" entidades empresariais para manter sua unidade. Do lado do governo, ninguém prestava atenção ao Plano Diretor fora da Sempla, pois estávamos em crise por efeito da resolução do Tribunal de Justiça considerando institucional a progressividade do IPTU. Submetemos o projeto consensual à prefeita, a secretários de governo, vereadores das bancadas situacionistas mas nas circunstâncias seu envolvimento foi compreensivelmente mínimo. Todos estavam dispostos a endossar o que fora acertado pelos negociadores da Sempla.

Do outro lado vieram algumas exigências finais, das quais uma se mostrou dificílima de acertar. Era a questão das áreas doadas ao poder público para receber equipamentos sociais ou áreas verdes por ocasião dos loteamentos e que tinham sido ocupados por favelas. Como essas áreas ficavam vagas por muitos anos antes de serem aproveitadas, elas se tornavam objetos frequentes de invasões por parte dos que não tinham onde morar. O propósito do governo, como vimos, não era remover favelas, mas obter para seus moradores a posse legal do solo, mediante venda, e urbanizá-las. Mas, para as "doze", era questão de princípios que o solo público, destinado a finalidades coletivas, jamais pudesse ser alienado. Esse posicionamento se alinhava com o dos moradores, que exigiam que as terras doadas fossem destinadas à sua finalidade original, removendo-se delas os que as ocupavam ilegitimamente. Para as vizinhanças de classe média, a remoção das favelas de sua proximidade era vital, pois representavam aos seus olhos ameaças a sua segurança e ao valor de seus imóveis.

Houve muita discussão e numerosas tentativas de achar alguma redação consensual, mas as posições eram antagônicas demais para poderem ser reconciliadas. Entre a proposta de regularizar a posse dessas áreas pelos favelados e garantir que elas fossem disponibilizadas para a instalação de equipamentos ou parques, não havia outro meio termo que deixasse a questão fora do projeto. Como todas as provisões do futuro Plano Diretor teriam mesmo de ser especificadas posteriormente por legislação ordinária, adiar a questão parecia a saída lógica.

Finalmente, em abril de 1992 tínhamos uma proposta aceitável ao governo e à oposição e sua aprovação parecia assegurada. Decidiu-se que os representantes das "doze" fariam a entrega do projeto de Plano Diretor ao presidente da Câmara, que submeteria aos líderes das bancadas. Esperávamos que o projeto passasse rapidamente pelas Comissões e chegasse ao plenário para ser votado antes do fim do semestre. Era um cronograma apertado, pois devido à campanha eleitoral – as eleições para prefeito e vereador estavam marcadas para o fim do ano – o Legislativo praticamente não funcionaria no segundo semestre.

Mas a oposição ao novo projeto surgiu com intensidade inesperada. Tão logo ele se tornou conhecido, vários grupos de interesse que não tinham sido incluídos nas negociações – à direita e à esquerda – vieram a público criticando não só o texto como também o "segredo" em que ele fora feito. À direita, o movimento *Defenda São Paulo* aproveitou o ensejo para apresentar sua própria proposta de Plano Diretor. Esse grupo estava fundamentalmente preocupado com a invasão de áreas residenciais e casas térreas ou sobradinhos por arranha-céus. Embora representasse bairros de classe alta e média, que constituíam uma fração muito pequena da cidade, suas manifestações impressionaram a opinião pública. À esquerda, as principais objeções vieram de urbanistas ligados aos movimentos por habitação. Eles consideravam o texto consensual uma rendição completa ao capital imobiliário, pois renunciava à redução do CA a 1 e não garantia os favelados em terras públicas contra qualquer tentativa de despejo.

À primeira vista, essa oposição parecia fraca demais para bloquear o acordo de um governo dos trabalhadores com o mundo dos negócios. Mas na verdade não era preciso muito para paralisar o processo de tomada de decisões no Legislativo, sobretudo na véspera de uma campanha eleitoral. Os "doze" se mostraram incapazes de impedir que uma parte da oposição se recusasse a decidir rapidamente quanto ao novo projeto de Plano Diretor. Mas a principal resistência proveio de nossas próprias fileiras. Os mesmos vereadores que, quando consultados antes, não quiseram se amolar com o Plano Diretor, estavam convictos de que todas as questões levantadas pelos críticos tinham de ser examinadas minuciosamente em debate público. O irônico da situação era que, antes da controvérsia ser desencadeada, a maioria dos vereadores petistas considerava o Plano Diretor um tópico nada atraente, que podia ser deixado tranquilamente nas mãos de especialistas de confiança. Mas tão logo o Plano Diretor se tornou algo de divergências entre os urbanistas da própria esquerda, toda e qualquer objeção teria de ser completamente esclarecida.

E assim o ato final foi encenado na Câmara Municipal. A sua Comissão de Assuntos Urbanos abriu, em maio de 1992, uma série de audiências nas quais se ouviram, por semanas, todas as correntes e tendências do urbanismo paulistano. Participei pessoalmente de algumas sessões, durante as quais tive a impressão de que o debate era dominado por diferenças ideológicas acerca do que deveria ser um Plano Diretor. Como o impasse girava em torno de uma questão de fundamento, não havia esperança de que se poderia alcançar algum consenso e submeter um projeto de Plano Diretor à Câmara em tempo de poder ser aprovado. Àquela altura, os únicos realmente interessados em que fosse aprovado um novo Plano Diretor éramos nós, da Sempla, já que nosso mandato estava chegando ao fim, e, em alguma medida, os arquitetos com quem tínhamos gastado quase um ano costurando a proposta consensual, que afinal nunca foi oficialmente submetida à Câmara. Todos os outros participantes do processo desejavam evitar o que parecia ser aprovação apressada de um Plano Diretor que, de seu ponto de vista, apresentava falhas óbvias.

Pensando no processo inteiro e não somente em seu melancólico desfecho, acho que se podem extrair algumas conclusões. A tentativa de mudar, a natureza do Plano Diretor sem alterar-lhe a denominação provocou debates intermináveis, que até foram esclarecedores mas jamais permitiriam alcançar algum consenso. Talvez seja melhor, no futuro, separar a regulamentação do uso e ocupação do solo do Plano Diretor, que continuará a ser uma coleção de diretrizes, para transformar São Paulo em uma "cidade desejável". Isso permitiria elaborar outro instrumento legislativo para cuidar unicamente das regras de produção e reprodução da cidade, do aproveitamento da infraestrutura instalada e da geração de recursos para assegurar a manutenção, reparação e sobretudo expansão dessas redes e dos equipamentos, inclusive residenciais, que são essenciais à integração social da parcela mais carente e marginalizada dos paulistanos.

Ao identificar o nosso projeto como Plano Diretor, provocamos confrontos politicamente desnecessários com acadêmicos e técnicos, que bem poderiam ser ganhos para nossas propostas substantivas não estivessem estas "usurpando" o espaço do Plano Diretor. Além disso, nossa proposta ganharia em acessibilidade ao ser separada de planos setoriais e territoriais inevitavelmente complexos. Desde que no texto do Plano Diretor se consignassem princípios não contrários à proposta que formulássemos, todo resto poderia ser instituído por legislação ordinária. Nem nós, nem nossos adversários percebemos isso, o que acarretou diversas "conversas de surdos", em que, a pretexto de discutir um Plano Diretor, o governo falava de uma coisa e os interlocutores de outra.

Os últimos 40
dos 450 anos de São Paulo[1]

As grandes tendências

Feliz ou infelizmente, quando elaborei o estudo precedente sobre a evolução histórica de São Paulo, em meados dos anos 1960, eu resolvi dedicar a seção final a uma especulação sobre o que viria a ser São Paulo amanhã. Agora, cerca de 40 anos depois e 40 anos mais velho, tenho a oportunidade de revê-la e julgar em que medida fui capaz de antever a evolução futura da metrópole.

O meu ponto de partida para esse exercício, há 40 anos, foi o caráter industrial da economia paulistana. São Paulo havia se tornado o centro da divisão regional do trabalho, o que fez dela a metrópole nacional por excelência. Todas as regiões do país eram abastecidas pela produção industrial de São Paulo e forneciam, em troca, matérias-primas e gêneros alimentícios à metrópole. A única exceção importante seria a capital federal, sustentada pela tributação recolhida em todo o Brasil e fornecedora de serviços governamentais ao conjunto da população.

Quando eu estava escrevendo o estudo, a capital havia acabado de se mudar do Rio de Janeiro para Brasília. Apenas a cúpula da máquina governamental tinha sido transferida para a nova capital. A maior parte dela remanescia no Rio.

Mas, nos anos seguintes, mais e mais componentes do governo federal foram para Brasília. Isso esvaziava a economia carioca, à medida que reduzia o mercado local para as atividades produtivas locais.

---

[1] Publicado originalmente em: SZMRECSÁNYI, Tamás (Org.). *História econômica da cidade de São Paulo*. São Paulo: Globo, 2004, p. 218-235. O livro é uma coletânea de artigos de diferentes épocas sobre a cidade de São Paulo. O autor foi convidado para a citada coletânea a revisitar a parte referente à cidade de São Paulo de seu livro *Desenvolvimento econômico e evolução urbana*, que também foi reproduzida naquela. (N. do Org.)

Ao mesmo tempo, o mercado local, que se expandia em Brasília, era abastecido pela indústria paulistana (e paulista). A indústria do Rio tinha poucas possibilidades de competir com a de São Paulo num mercado igualmente afastado das duas metrópoles. Desta forma, no eixo Rio–São Paulo, a superioridade da última em relação à primeira foi acentuando, depois que terminei o estudo.

Se a indústria era o meio pelo qual se erigia a supremacia paulista na economia brasileira, ela constituía também a principal atividade econômica da metrópole paulistana. Isso significava que, se o ritmo de industrialização caísse, o vigor econômico da capital seria atingido. A sua excepcional expansão populacional – de 74% entre 1950 e 1960 (tabela V da primeira parte)[2] – era de certa maneira reflexo da rápida industrialização brasileira. Por isso, escrevi que "o futuro de São Paulo depende, em última análise, do prosseguimento da industrialização e da forma que ela irá assumir nos próximos anos" (p. 202).[3]

O crescimento da população de São Paulo e do valor da produção industrial brasileira

Verificaremos a hipótese de que a dinâmica demográfica de São Paulo dependia essencialmente do ritmo da industrialização brasileira, comparando, ao longo dos últimos 40 anos, as taxas anuais médias de crescimento do número de paulistanos com as taxas anuais médias de variação do valor da produção industrial do país.

TABELA 1 – TAXAS TOTAIS E ANUAIS MÉDIAS, POR DECÊNIO, DO CRESCIMENTO DA POPULAÇÃO PAULISTANA E DO CRESCIMENTO DO VALOR DO PRODUTO INDUSTRIAL BRASILEIRO (EM %)

Período	População total	População anual	Indústria total	Indústria anual
1961–1970	54,88	4,47	85,42	6,37
1971–1980	43,35	3,66	143,19	9,29
1981–1990	13,35	1,26	20,84	1,91
1991–2000	3,67	0,4	11,88	1,13

Fonte: População IBGE Censos Demográficos; Indústria FGV Contas Nacionais.

---

[2] O autor refere-se à republicação de sua análise de São Paulo na citada coletânea na nota 1. Ver o original: *Desenvolvimento econômico e evolução urbana*. São Paulo: Companhia Editora Nacional/Edusp, 1968, p. 58. (N. do Org.)

[3] Ver o original: *Desenvolvimento econômico e evolução urbana*. São Paulo: Companhia Editora Nacional/Edusp, 1968, p. 77. (N. do Org.)

Como se pode ver, a correlação entre as duas séries de tempo não é perfeita, mas é tão pronunciada que não pode ser atribuída ao acaso. Nos dois primeiros decênios, o crescimento demográfico e o industrial são muito intensos. A industrialização se acelera em função do chamado "milagre brasileiro" – um período de excepcional aumento do produto nacional e de queda da inflação –, que começa em 1968 e se estende até 1973. A partir de 1974, o ritmo de crescimento declina algo e a inflação passa a aumentar. O "milagre" termina, mas até o fim dos anos 1970 o ritmo de industrialização se mantém em nível bem mais elevado do que nas décadas seguintes.

Entre 1961 e 1980, o valor da produção industrial do Brasil é multiplicado por 4,5 – e grande parte dessa expansão se deu na capital de São Paulo. É o que explica o rápido crescimento da população da cidade, que neste mesmo período é multiplicada por 2,22. Esse ritmo acelerado de expansão é particularmente notável porque se dá numa metrópole que já no início tinha grandes dimensões: 3.825.351 habitantes. Vinte anos depois, eles seriam 8.493.226.

Tudo isso contrasta com a queda brutal do ritmo de industrialização nas duas décadas seguintes. A indústria aumenta 20,84% nos anos 80 e 11,88% nos anos 1990. Entre 1981 e 2000, o valor da produção industrial brasileira é multiplicado por apenas 1,35. Trata-se de quase estagnação industrial, que caracteriza duas décadas perdidas. O valor da produção nos anos 90 cresce apenas 1,13% em média por ano, ou seja, menos do que a população brasileira. O produto industrial *per capita* cai, portanto, entre 1990 e 2000, provavelmente pela primeira vez no século XX.

É essa súbita suspensão do desenvolvimento do país que explica a quase cessação do crescimento do seu maior centro industrial. Já entre 1981 e 1990, o crescimento da população paulistana cai a 13,35%, porcentagem que é menos de um terço da registrada no decênio anterior. O crescimento da população paulistana quase cessa porque a cidade é brutalmente atingida pela crise industrial, que tem início em 1981, quando o último governo militar, premido pelos credores externos, subitamente implementa corte total do investimento público e elevação da taxa de juros. Quase em seguida, a indústria automobilística promove a demissão de milhares de trabalhadores, sendo rapidamente imitada pelos demais ramos industriais.

Entre 1981 e 1983, a economia brasileira sofre a mais grave crise de conjuntura de sua história, causada pelo endividamento externo excessivo. Quase todos os países então chamados de "emergentes" haviam acumulado dívidas externas enormes, em razão da facilidade em tomar empréstimos a juros baixos, durante as crises do petróleo dos anos 1970. Em 1982, o México foi obrigado, por fuga incontrolável de capitais, a declarar a moratória de sua dívida externa; em consequência, os bancos multinacionais suspenderam todos os créditos aos emergentes latino-americanos, o que forçou os demais países do continente a seguir o exemplo mexicano.

A crise de 1981/1983 atingiu obviamente todo o país, mas cada região com intensidade diferente. Quanto mais industrializada, maior era a perda de renda, produção e emprego. Como o consumo alimentar não pode ser muito contraído, a perda de renda afetou principalmente a compra de produtos relativamente supérfluos ou cuja aquisição pode ser adiada. Estes são sobretudo produtos industriais, de casas a automóveis, de mobília a roupa etc. Por isso, a crise foi muito maior nos centros industriais do que nas regiões agrícolas.

São Paulo e seu cordão industrial foram as maiores vítimas da crise, que se tornou quase permanente em razão da exacerbação inflacionária, devida ao fracasso do Plano Cruzado, em 1986. O desemprego começou a se avolumar e a se tornar de longa duração, uma experiência inédita para uma geração acostumada com o "milagre econômico". No fim da década de 1980, o saldo migratório para São Paulo havia diminuído tanto que se tornou negativo, ou seja, o número dos que abandonavam a capital passou a superar o dos que chegavam a ela.

Na década seguinte, a crise industrial foi aprofundada pela abertura do mercado interno às importações, iniciada por Fernando Collor e continuada depois por Itamar Franco e Fernando Henrique Cardoso. Este último escancarou as portas de nosso mercado com o intuito de conter a inflação por meio de uma avalanche de produtos industriais importados de baixo preço. O Plano Real atingiu o seu objetivo, em 1994, ao provocar drástica queda da inflação, que no caso dos preços dos produtos industriais se transformou em deflação. A perda da margem de lucro obrigou muitas indústrias a fechar as portas e as restantes a cortar custos sem piedade, o que significava principalmente demitir mão de obra.

Na última década do século XX, o que era crise industrial de conjuntura se transformou em desindustrialização e desassalariamento.

A indústria, enquanto setor econômico, perdeu vigor e elã competitivo. Para sobreviver, despediu grande parte ou mesmo a totalidade dos empregados e subcontratou os serviços que eles prestavam a autônomos, microempresas, mão de obra temporária ou falsas cooperativas. Desta forma, muitas empresas se eximiram de pagar os encargos trabalhistas, substituindo emprego formal por trabalho pseudoformal ou informal.

Isso aconteceu um pouco por toda parte, mas de forma muito mais concentrada na Grande São Paulo, sobretudo em seu cordão industrial. A capital já havia perdido boa parte de sua indústria, mas sua economia foi atingida pela amplitude do desemprego, que estreitou o mercado local, com prejuízo para os que tiravam seu sustento da prestação de serviços nesse mercado. Nos anos 1990, a população paulistana cresceu apenas 1,13% por ano, bem menos que seu crescimento vegetativo (nascimentos menos óbitos).

Não cabe dúvida, pois, que o esplendor e a decadência de São Paulo, nos últimos 40 anos, resultaram, em grande parte, das vicissitudes sofridas pela indústria nacional. A vocação industrial de São Paulo desenvolvida ao longo de todo o século XX, acabou sendo a causa de sua perdição no final dele. Antes de São Paulo, mudou o mundo e depois o Brasil.

Uma mudança foi a globalização, promovida pelos países mais ricos, que entregou a economia mundial às transnacionais e cada economia nacional aos humores do capital financeiro especulativo internacional. As transnacionais concentram indústrias em alguns países de baixo custo do trabalho e de parcos direitos sociais. E os capitais financeiros especulam com o câmbio flutuante e as diferenças entre os riscos-país. Isso maximiza a instabilidade conjuntural e afasta os capitais de investimentos de longo prazo.

Outra mudança foi tecnológica: a revolução informática barateou a automação e, desse modo, elevou de forma explosiva a produtividade do trabalho em atividades rotineiras e repetitivas, o que vem eliminando definitivamente grande parte do emprego industrial. Mas não é possível aumentar a produtividade do trabalho em atividades que exigem enfrentar frequentemente situações novas, tais como o ensino, os cuidados da saúde, a pesquisa científica e a criação de obras de arte e de formas de entretenimento, por isso o emprego nessas atividades cresce e aproveita seletivamente trabalhadores que são expulsos de atividades que passam, em maior ou menor grau, aos cuidados de robôs.

São Paulo e a descentralização industrial

Há 40 anos, previ que a criação da Sudene, com o propósito declarado de criar no Nordeste um parque industrial moderno, "constituiu um ato revolucionário, que levou as áreas marginalizadas pelo padrão anterior de industrialização a exigirem do governo federal uma ação eficaz no sentido de retificar os acentuados desequilíbrios inter-regionais existentes".[4] Hoje, não resta dúvida de que não só a indústria de fato se descentralizou, mas também que outras regiões – sobretudo o Sul e o Centro-Oeste – conseguiram acelerar seu desenvolvimento e assim reduzir de forma significativa sua desvantagem em relação ao Sudeste e especificamente em relação a São Paulo.

A descentralização industrial foi menos a resultante de políticas públicas do que o efeito da globalização, internalizado pelo Brasil. Assim como as multinacionais passaram a levar suas plantas à periferia, em fuga dos altos salários, dos sindicatos aguerridos e dos tributos elevados, indispensáveis ao sustento do estado de bem-estar, os industriais brasileiros e estrangeiros fizeram o mesmo dentro do território nacional. A segunda onda de inversões na indústria automobilística tratou de evitar o ABC paulista, indo para Betim (MG), Taubaté e Indaiatuba, em São Paulo, e depois para o Paraná e o Rio Grande do Sul, até que mais recentemente a Ford foi parar na Bahia.

A região menos beneficiada pela descentralização industrial das últimas décadas foi o Nordeste. O grande feito da Sudene foi impedir que o fosso, que separava o Nordeste do "Sul maravilha" (na expressão imortal de Henfil), continuasse a se aprofundar. A partir dos anos 1960, o crescimento da economia nordestina passou a acompanhar de perto a média nacional. Surgiu uma indústria no Nordeste que ensejou a modernização de sua vida urbana. Mais recentemente, aproveitando o *boom* turístico internacional, desencadeado em boa medida pelo barateamento do transporte aéreo, o Nordeste logrou atrair investimentos que o transformaram num polo de turismo, tanto estrangeiro quanto nacional.

O turismo avançou do litoral para o interior, com a multiplicação de micaretas, festivais sacros e mundanos pelo sertão afora. A era do

---

[4] Ver o original: *Desenvolvimento econômico e evolução urbana*. São Paulo: Companhia Editora Nacional/Edusp, 1968, p. 72. (N. do Org.)

automóvel e da rodovia permitiu que uma grande massa humana, com meios modestos, se deslocasse pelo território, atrás do pitoresco e do inusitado. E nesses aspectos, o Nordeste se destaca não só pelas praias mas também pela musicalidade de seu povo, pela qualidade de seu artesanato e pelo exotismo de sua comida. É de se notar que o desenvolvimento nordestino, das décadas mais recentes, foi impulsionado não tanto pela indústria e sim pelo complexo de serviços que turismo movimenta.

Mas não se pode deixar de registrar que, até o momento, o Nordeste continua sendo, de longe, a região geoeconômica mais pobre do Brasil. Para isso, contribuiu a decadência de São Paulo e das regiões mais industrializadas do Centro-Sul. Até os anos 1970, uma parte da população do Nordeste migrava para São Paulo e outras cidades industriais, onde encontrava emprego ou ocupações mais ou menos rendosas. As comunidades nordestinas em São Paulo mandavam parte do seu rendimento aos parentes que ficaram no solo natal. Esse fluxo desse dinheiro deve ter promovido o crescimento da economia do Nordeste. Além disso, havia uma migração de retorno, de São Paulo ao Nordeste, dos que haviam conseguido amealhar um patrimônio ou levantar um valor ponderável do FGTS.

Durante o extenso *boom* da industrialização de São Paulo, o Nordeste exportava um importante contingente de trabalhadores – alguns diriam "de capital humano" – e obtinha em troca uma receita não negligenciável. Com a súbita cessação do crescimento industrial em São Paulo, a partir de 1981, como vimos acima, a exportação de mão de obra não apenas parou, mas se reverteu. Agora, eram os desempregados que retornavam aos seus Estados de origem, à procura de abrigo e ajuda dos familiares. O Nordeste poderia ter empobrecido em consequência, não fosse pelo *boom* turístico, que de certa forma compensou a perda das fontes de renda no Sul "ex-maravilha".

São Paulo e a supremacia dos serviços

No estudo da evolução histórica de São Paulo feito nos anos 1960, argumentei que a capital se desindustrializaria porque a inevitável expansão dos serviços acabaria por deslocar a indústria para além dos limites de seu território. Como os serviços não podem ser transportados, pois são imateriais, seus consumidores têm de usufruí-los no lugar em que são produzidos. Por isso, as empresas de serviços – escolas, hospitais, cinemas, lojas, restaurantes etc. – têm de se localizar perto de sua clientela, ou seja, onde moram e transitam os citadinos. Os locais preferenciais para a fixação de prestadores de serviços, por isso mesmo, tendem a ser caros, e os preços dos serviços, via de regra, incorporam os custos de localização, por maiores que sejam.

A indústria produz bens facilmente transportáveis, por isso não necessita estar próxima dos compradores desses bens. Os principais requerimentos locacionais da indústria, em geral se limitam ao acesso a energia, transporte, comunicações e serviços de água e esgoto. Quando o estabelecimento industrial se vê rodeado de habitações, shoppings e supermercados, escolas, igrejas etc., seus donos rapidamente se apercebem que teriam muito a ganhar se fechassem ou mudassem a indústria e loteassem o terreno que ela ocupa.

Dessa forma, a indústria cede terreno diante do avanço das áreas residenciais e de serviços, não para evitar perdas, e sim para usufruir ganhos com a especulação imobiliária. Essa tendência era bem conhecida nas metrópoles mais antigas e já podia ser notada em São Paulo. De modo que nada mais fiz do que projetar para o futuro uma tendência então já presente. E eu estava certo. Hoje, praticamente todos os antigos bairros industriais de São Paulo, do Brás ao Tatuapé, da Casa Verde à Lapa e da Pompeia à Barra Funda se transformaram em bairros residenciais e de serviços.

O que eu não previ, no estudo de há 40 anos, é que a revolução digital multiplicaria os serviços não padronizáveis e promoveria a automação de quase todas as atividades industriais e rotineiras de serviços.

O fato de que hoje a produção de bens industriais requer muitíssimo menos trabalho humano do que há poucas décadas não os torna menos importantes para os consumidores. Sem casas, móveis, vestes, roupas de cama e mesa, eletrodomésticos, aparelhos de TV, computadores e muitos outros objetos, nossa vida seria quase impossível. O valor de uso dos bens industriais continua tão grande como antes, o que caiu foi o seu valor de troca.

O valor de troca dos bens materiais foi reduzido acentuadamente pelo enorme aumento da produtividade do trabalho que os produz. É por isso que objetos que necessitam apenas de reparos são jogados fora. Não vale a pena consertá-los, pois comprar novos sai mais barato. O efeito dessa importante mudança de preços relativos é que a indústria, assim como antes dela a agricultura, se tornou muito menos importante: economicamente, porque movimenta muito menos valor do que os serviços; socialmente, porque muito menos gente depende dela, e politicamente, pela diminuição de seu peso eleitoral.

A profusão de serviços novos que vêm surgindo decorre sem dúvida do progresso tecnológico, mas também da disponibilidade de grande número de trabalhadores, excluídos da indústria, cuja única esperança de reinserção na produção social é o setor terciário, cujos ramos mais originais foram criados por jovens, muitas vezes ainda estudantes, trabalhando nas garagens de suas casas. Esses ramos não são rotineiros, seus produtos não podem ser padronizados e neles a produtividade do trabalho tende a ser constante ou provavelmente decrescente, à medida que, na produção de inovações, os rendimentos tendem a cair.

A terceirização não decorre apenas do esvaziamento da produção material pelo progresso técnico, mas também de mudanças de valores. A educação, até há alguns decênios, era preocupação de uma minoria intelectualizada; atualmente tornou-se reivindicação de massas. Todas as classes sociais, das mais ricas às mais pobres, exigem acesso ao ensino, do fundamental ao superior e à pós-graduação. É claro que a generalização da demanda por educação se deve ao fato de que ela é exigida para se atingir postos mais elevados em quase qualquer carreira. Mas não só. Há carreiras que antes não requeriam mais do que curso fundamental ou médio e que hoje exigem graduação e pós, o que representa uma valorização social do ensino, que no Brasil se deu nas últimas duas ou três décadas. O efeito disso é a multiplicação de escolas, com a criação de milhões de novos postos de trabalho.

Outro serviço que passou por expansão semelhante é o da saúde. Os contínuos avanços tecnológicos tornaram o tratamento – preventivo e curativo – da saúde muito mais dispendioso, por requerer quantidade cada vez maior de trabalho humano, boa parte dele bastante especializada, além do emprego de equipamento mais sofisticado e dispendioso e de muito mais medicamentos. Os que não ganham o bastante para pagar o alto custo dos serviços de saúde, reivindicam do Estado que lhes garanta o acesso a eles. A nossa Constituição proclama que "saúde é direito de todos e obrigação do Estado". Como resultado, crescem vigorosamente os postos de trabalho em hospitais e postos de saúde, em pesquisa e desenvolvimento de novos procedimentos preventivos e curativos, na indústria farmacêutica e de aparelhos médicos e odontológicos.

Também a ocupação na intermediação financeira se diversificou, mas a crescente aplicação da telemática a suas atividades reduziu o total de pessoas ocupadas. Isso se deve, em uma parte, à crescente instabilidade nos mercados financeiros por causa da liberação dos fluxos especulativos, o que atrai a esse tipo de jogo um público cada vez mais numeroso. Por outra parte, aumenta também a quantidade de pessoas que necessita dos serviços de bancos, companhias de seguros, corretoras etc., porque poupa parte da renda. Mesmo os que poupam pouco porque pouco ganham almejam a posse de uma conta de banco e de um cartão de crédito.

São Paulo pôde aproveitar a terciarização para trocar sua vocação industrial pela vocação para serviços educacionais, sanitários, financeiros etc. Enquanto sua indústria fenece, a capital paulista se tornou o maior centro educacional e de assistência à saúde do país. Acorrem a ela pessoas de todas as regiões do Brasil (e também de outros países) para estudar ou para se tratar. São Paulo também tirou do Rio de Janeiro a primazia financeira. Hoje, a Bolsa de Valores de São Paulo (Bovespa) é de longe a maior do Brasil, atraindo à capital sedes das grandes intermediárias financeiras, assim como sedes brasileiras e sul-americanas transnacionais.

Nova vocação econômica de São Paulo

Portanto, apesar da calamidade social, que a desindustrialização e a precarização das relações de trabalho acarretaram, São Paulo também foi beneficiada pela terciarização. Como maior metrópole nacional, São Paulo tem mais mercado para serviços novos, derivados de inovações tecnológicas ou do surgimento de novas necessidades, que os demais centros urbanos. Cursos sofisticados de pós-graduação, centros médicos especializados em novos tratamentos ou em enfermidades raras, cardápios refinadíssimos de produtos financeiros, para todos os gostos e todos os bolsos, além de uma profusão de cursos não convencionais, tratamentos corporais, teatros e salas especiais de cinemas são alguns dos novos serviços que vêm colorindo o panorama econômico de São Paulo. É um efeito do ganho de escala que só a maior cidade do país pode proporcionar.

Na era neoliberal, tudo é competição. As cidades "competem entre si" por investimentos em escolas, hospitais, bancos e muitas outras espécies de empresas: shoppings, redes de super e hipermercados, editoras, produtoras de televisão, *tradings*, jogos olímpicos, sede de grandes empresas, hotéis, exposições internacionais, festivais de cinema, dança etc. Pus aspas no "competem entre si" porque não são muitas as cidades que se empenham em vender uma imagem atrativa para os investidores. Mas, do ponto de vista desses últimos, a escolha de uma cidade para a implantar algum serviço depende, muitas vezes, de atrativos para executivos e outros especialistas viverem nela. Nesse tipo de competição, real ou virtual, São Paulo leva a vantagem do seu tamanho, de sua riqueza e da qualidade de seus serviços de educação, de saúde, financeiros etc., em comparação com outras grandes cidades do país.

TABELA 2 – Estrutura da ocupação por setores de atividade da área metropolitana de São Paulo 1976, 1985, 1993 e 2001 (em %)

Setores	1976	1985	1993	2001
Indústria de transformação	37,7	31,7	25,4	18,0
Indústria de construção	6,8	5,8	6,8	6,0
Comércio de mercadorias	12,2	13,9	16,5	16,5
Prestação de serviços	16,6	19,3	21,1	23,8
Social	6,8	8,5	9,8	11,3
Administração pública	3,2	3,6	3,3	3,6
Outros setores	16,7	17,2	17,3	20,0

Fonte: IBGE/PNAD – Pesquisa Nacional por Amostra de Domicílios.

Como se pode ver na Tabela 2, em 1976 a ocupação na indústria de transformação representava mais de um terço do total, sendo mais de duas vezes que a do segundo setor em tamanho, a prestação de serviços. A partir desse ano, a parcela da ocupação industrial no total vai decaindo, até atingir literalmente a metade da inicial: de 37,7% em 1976 ela passou a 18,9% vinte e cinco anos mais tarde.

O espaço perdido pela indústria foi ocupado pela prestação de serviços, que ganhou 7,2 pontos percentuais; pelo setor social, que aumentou sua participação em 4,5 pontos percentuais, pelo comércio, que cresceu 4,3 pontos percentuais; e pelos outros setores, que ampliaram sua participação em 3,3 pontos percentuais. Todos esses setores, com exceção do último (que inclui agricultura), pertencem ao terciário, isto é, à produção de serviços.

O setor que passou a liderar a expansão do número de ocupados na metrópole é a prestação de serviços, que em 1976 ainda constituía menos da metade da indústria de transformação e em 2001 já a supera, passando a ser o maior da economia da Grande São Paulo. Em termos absolutos, a indústria de transformação ocupava 1.688.500 pessoas em 1976 e 1.502.200 em 2001, enquanto a ocupação em prestação de serviços passou, no mesmo período, de 741.800 para 1.893.000. No último quarto de século, a economia da Grande São Paulo se expandiu principalmente pela prestação de serviços, enquanto a ocupação industrial perdia cerca de 186 mil postos de trabalho. No primeiro ano do novo século, a prestação de serviços já ocupava mais gente do que a indústria de transformação.

A prestação de serviços compõe-se dos serviços de alojamentos e alimentação, reparação e conservação, pessoais, domiciliares e de diversões, radiodifusão e televisão. São Paulo se tornou a primeira praça financeira do país e com isso atraiu grande atividade empresarial, que gera numerosos deslocamentos para feiras e exposições, convenções e seminários. O chamado "turismo profissional" teve um rápido crescimento, acarretando a multiplicação de hotéis e restaurantes de luxo, além de redes de *fast-food* e de restaurantes que vendem comida a quilo. Outro componente da prestação de serviços que deve ter se expandido muito são as diversões, radiodifusão e televisão, em razão das contínuas inovações nos últimos anos, como o videocassete e as lojas de aluguel de fitas; a TV a cabo; o DVD etc. Sem falar da internet, por meio da qual diversões de todo tipo têm sido difundidas. Como em outras grandes cidades, o mercado de artigos e serviços de informática tem crescido com muita intensidade em São Paulo.

Dos setores do terciário, o que mais cresceu em termos relativos foi o social, que entre 1976 e 2001 quase triplicou o número de postos de trabalho: de 306.600 em 1976 para 903.200 em 2001. Esse é o setor que abrange o ensino, os serviços médicos, odontológicos e veterinários e os serviços comunitários e sociais. Como vimos, foi nessa área que São Paulo ganhou proeminência nacional. Provavelmente, a ocupação no setor social teria crescido ainda mais, se ensino e serviços de saúde públicos pudessem acompanhar o aumento da demanda. Mas os gastos sociais da União, Estados e municípios têm sido restritos, há anos, em nome da austeridade fiscal. Por isso, grande parte das necessidades na área de ensino e saúde deixa de ser atendida pelo serviço público. Apenas os que dispõem de renda suficiente compram esses serviços no mercado, restando aos demais enfrentar longas filas para serem atendidos.

Finalmente, os "outros setores" tiveram crescimento da ocupação muito acima da média da economia: ocupavam 750.000 pessoas em 1976 e 1.589.600 em 2001. Sua participação na ocupação total de São Paulo cresceu de 16,7% em 1976 para 20,0% em 2001. Formam esse setor de atividades muito diferentes: transporte e comunicação, crédito, seguros e capitalização, comércio de imóveis e valores mobiliários, organizações internacionais e representações estrangeiras, além de atividades mal-informadas ou não declaradas.

É provável que todas essas atividades estejam contribuindo para o crescimento da ocupação na Grande São Paulo. Atividades que se reinventaram recentemente foram, nesse rol, as financeiras, pelas razões aventadas, comunicações (em especial, desde a explosão do telefone celular), além de algumas mal-informadas ou não declaradas. Estas últimas provavelmente têm componentes estigmatizados, como prostituição e mendicância, e francamente ilegais, como o narcotráfico e todo tipo de criminalidade, violenta ou não.

São Paulo, metrópole madura

Quando São Paulo completou 400 anos, os festejos foram notáveis. Celebrava-se o apogeu econômico da metrópole, o ritmo insuperável do seu crescimento – o lema da época era "São Paulo não pode parar". E, para coroar, a grande conquista democrática, o 22 de março de 1953, quando a capital elegeu à Prefeitura candidato apoiado apenas por dois pequenos partidos, enquanto todos os demais estavam ao lado do candidato da situação. Ele foi batido por Jânio Quadros e Porfírio da Paz com dois terços dos votos.

O clima que reinava, pelo que me lembro, era de exuberância juvenil. O Brasil estava finalmente chegando ao seu futuro, vencendo rapidamente o atraso e construindo (quem sabe?) nova civilização nos trópicos. E a arquitetura brasileira aproveitava o quarto centenário da capital econômica do país com audaciosas obras públicas, das quais o Parque do Ibirapuera talvez seja o mais característico.

No 450º aniversário da cidade, o clima é completamente diferente. Ela é o centro da segunda maior metrópole do mundo, a capital econômica, financeira e até política do país, à medida que um dos seus filhos fora eleito à presidência da República, e o partido que surgiu pela iniciativa de seus operários havia se tornado o maior do Brasil. Mas o reverso da medalha é triste, quase sinistro. São Paulo tem um quinto de sua população trabalhadora desempregada, procurando debalde por meses e até anos uma oportunidade ele ganhar a vida de forma legal e normal.

O seu ex-cinturão industrial ostenta fileiras de galpões industriais fechados, alguns poucos transformados em centros de comércio. A vasta periferia empobrecida, no Leste e no Sul, contém um número inédito de favelas, em franco contraste com a Pauliceia dos anos 1950, quando seus moradores podiam orgulhar-se de constituir a única das grandes cidades brasileiras que estava livre de favelas. E nas favelas reina o crime organizado, que recruta seus "guerreiros" entre a juventude cronicamente desempregada.

Da periferia vem a violência que espalha o terror pelos bairros residenciais. Os assaltos, os sequestros, a mendicância ubíqua, que, quando mais insistente, torna-se ameaçadora, fazendo da vida do paulistano pacato, trabalhador, pagador pontual dos impostos, um inferno. O medo em lugar da exuberância juvenil passa a caracterizar São Paulo em seu quarto e meio centenário. E o medo se associa ao desencanto, ao conformismo, à desesperança, que caracterizam comumente os que são considerados maduros.

E para não dizer que não falei de flores, é de registrar que a sociedade paulistana reage contra o *"apartheid"* que a divide, organizando um sem-número de ONGs que oferecem principalmente aos jovens pobres e muitas vezes em situação de risco oportunidades de aprender, de conviver, de explorar seus talentos e potencialidades, por meio do esporte, da arte e de um rosário de iniciativas originais e criativas. Uma parte da cidade partida supera o medo e a passividade e inventa formas sempre novas de manifestar solidariedade às vítimas inocentes do descalabro social. São Paulo, embora madura, não se entrega.

Entrevista com Paul Singer[1]

Marcelo Justo: *A partir da seleção de textos feita para esta coletânea, como e o que você observa nesse recorte da sua produção intelectual? O que há de continuidades e mudanças nas análises? É uma produção de quase quatro décadas sobre urbanização e desenvolvimento, principalmente na Região Metropolitana de São Paulo.*

Paul Singer: Queria chamar a atenção, primeiro, de que ela não foi planejada. À medida que eu fui publicando, vieram novos desafios e convites a escrever sobre isto ou aquilo. Essa produção de 40 anos foi, em boa parte, resultado de polêmicas e discussões. No Centro Brasileiro de Análise de Planejamento (Cebrap) havia uma interação estreita e muito boa entre nós, um grupo de uns vinte intelectuais. Criamos o hábito de que nenhum de nós terminaria algum trabalho sem submetê-lo aos outros. Não era uma obrigação. Cada um poderia publicar o que quisesse, evidentemente. Mas era tão bom receber as críticas e as apreciações dos companheiros que ninguém deixou de fazer. Eu discuti muito textos do Otávio Ianni, do Fernando Henrique Cardoso, da Elza Berquó, do [José Arthur] Giannotti. Era talvez a mais importante atividade na vida intelectual do Cebrap. Aí surgiu essa minha produção, em grande parte provocada. Porque o assunto cidade é muito discutido no Brasil, até hoje é; as manifestações são bem urbanas, essas de 2013, e isso é parte dessa problemática urbana. Quando eu cheguei ao Brasil, em 1940, ele era um país predominantemente agrícola, mas tornou-se um país quase totalmente urbano 50 anos depois.

---

[1] Entrevista realizada na casa do Prof. Singer em São Paulo, no dia 24 de maio de 2014, com duração total de 1h45. Foi feita uma edição, retirando alguns trechos para manter a ligação com a pergunta original e fazendo algumas adaptações do discurso oral ao texto escrito. Posteriormente, houve uma revisão feita pelo entrevistado. (N. do Org.)

MJ: *Justamente no momento em que você está fazendo sua pesquisa da tese de doutoramento é o momento em que o Brasil está passando por essa virada. Estatisticamente de 1960 para 1970, é que a população do país deixou de ser predominante rural para a urbana.*

PS: Isso mesmo. É um contínuo. A ruralidade no Brasil era absoluta no período colonial. O que fazia sentido no Brasil era plantar o que se podia exportar (café, cacau) ou se podia extrair borracha. A vida era inteiramente rural. Havia cidades. Isso faz parte da minha teoria, as cidades têm funções. Cidades sedes de governo, sedes da vida política, cidades religiosas, que recebem muitos romeiros e peregrinos. As cidades têm uma divisão do trabalho entre elas, que surge espontaneamente, da interação de grande número de pessoas. A cidade industrial é mais recente. Essa cidade industrial é São Paulo. São Paulo era um lugar de estudantes, mais ou menos na época do D. João VI, quando ele criou a faculdade de Direito aqui.

Essa produção sobre a cidade existiu porque estávamos num processo bastante evidente de urbanização, que trazia uma porção de novidades, uma nova sociedade estava nascendo com uma nova política, nova problemática e assim por diante.

Não foi nada planejado. A única coisa planejada foi a tese, que trata de cinco cidades [publicada com o título de *Desenvolvimento econômico e evolução urbana*, de 1966]. Aí o planejamento não foi meu, foi do meu mestre Florestan Fernandes. Ele tinha um plano e queria um economista. Sua metodologia era interessante, ele queria separar os fatores sociológicos dos econômicos, com toda a certeza de que os dois se combinam e são os principais condicionantes do processo de urbanização. Mas, metodologicamente, para os estudiosos, os fatores sociais, políticos, culturais são uma coisa e os condicionamentos econômicos, outra. Ele me contratou e pediu: faça uma análise econômica do processo de urbanização brasileira.

O tema acabou se impondo a mim, não estava no plano. Ele escolheu cinco cidades diferentes, não pela importância. Blumenau é uma cidade relativamente pequena, mas é um caso interessante, porque é uma cidade criada por uma corrente imigratória europeia; é uma cidade europeia até hoje. Tem uma mancha em Santa Catarina em que a colonização europeia, principalmente alemã, é muito forte.

Cada uma dessas cidades que o Florestan escolheu, a meu ver com muita sensibilidade, com muita inteligência, são casos diferentes, mas contemporâneos. Os processos que eu analisei acontecem simultaneamente em diferentes partes do Brasil, mas têm condicionantes bem específicos. No caso, Porto Alegre tem uma história que tem a ver com as lutas entre as metrópoles coloniais, entre Portugal e Espanha. Houve uma disputa muito forte de quem iria ficar com o rio Prata.

MJ: *O interessante dessa pesquisa, entre várias coisas, é que se trata de um trabalho de economia, mas encontra-se história, sociologia, geografia etc., ou seja, é muito rica. A intenção era mostrar a aplicação da lei de desenvolvimento desigual e combinado?*

PS: O único objetivo era tentar separar os fatores econômicos dos não econômicos. Ele [Florestan] achava que o desenvolvimento era produzido tanto por mudanças sociais e culturais quanto econômicas. Ele estava interessado nos fatores não econômicos. Ele me contratou para que cuidasse dos econômicos que estavam lá.

Então foi ele [Florestan] que me propôs a fazer a tese. Eram cinco cidades e eu fui trabalhando uma atrás da outra. Eu tinha muita coisa a fazer, eu tinha emprego etc., não vivia disso. Mas eu conseguia encaixar e viajei a essas cidades. Foi a primeira vez que fiz pesquisa de campo, por assim dizer; foi uma alegria pra mim. A cada cidade visitada, fazia e entregava o texto a ele, que depois dava sua opinião. Praticamente, ele sempre gostou dos textos. Não me lembro de ter me pedido mais alguma coisa. O último foi São Paulo, acho, porque ela é o centro da urbanização brasileira. Quando analisei São Paulo, era ela em relação às outras cidades.

MJ: *E dos outros textos desse recorte? Você observa continuidades, mudanças no modo de analisar a urbanização?*

PS: Não me lembro, teria que olhar para todos os trabalhos agora em detalhes. Uma das coisas que me influenciaram, se não me engano, foi na época do Cebrap. Em 1969 criamos o Cebrap e começamos a interagir entre nós. Um grupo já tinha participado do seminário sobre *O Capital* (realizado no final dos anos 1950 e início dos 1960), mas outros vieram depois. Isso foi um alargamento do meu horizonte, e acredito que dos outros também. O Chico [de Oliveira] teve uma influência sobre mim, discutimos muito sobre o Nordeste também. Era ele quem trazia uma visão de quem cresceu lá, e nós, não. A desigualdade regional passou a ser um "baita" tema, um dos que mais me motivou. Inclusive a pergunta: por que especificamente

São Paulo, a cidade dos estudantes e da garoa, e não o Rio de Janeiro, que havia se industrializado antes, era a capital federal, tinha mais recursos, era maior que São Paulo etc.?

MJ: *Nesse caso, você já atribuía, na sua tese de doutorado, o fato de São Paulo tornar-se o centro da acumulação ao livre mercado.*

PS: Tem várias coisas aí que são muito importantes, talvez a principal fosse o café. É bom lembrar que o café torna-se o grande produto de exportação brasileira, sendo responsável por 90% dela. O Brasil era sinônimo de café, o maior produtor do mundo. O café tornou-se uma *commodity*, ou seja, uma mercadoria internacional extremamente importante por causa da industrialização e da urbanização. Não se tomava café, tomava-se chá. Na classe média, na classe alta, a bebida social, que não fosse alcóolica, era o chá. Então o café surge a partir da África e substitui o chá, principalmente nos Estados Unidos. Nos Estados Unidos, toma-se café em grande volume, faz parte da vida. Quer dizer, a industrialização, a revolução industrial e a urbanização em conjunto criam um grande mercado mundial para o café. Agora, qual é a importância do café para São Paulo? Ele era o principal produtor de café dentro do Brasil. O grande porto de exportação era Santos, e toda a parte financeira localizava-se lá. É que São Paulo passa a ser o principal polo de imigração estrangeira, não só europeia mas também japonesa. Nenhum outro lugar, mesmo o Sul, Porto Alegre, Santa Catarina, não tiveram tanta presença estrangeira como São Paulo. São Paulo é uma cidade italiana, muito fortemente italiana, tanto quanto Nova Iorque. Mas é ao mesmo tempo judia, árabe, alemã, austríaca, enfim, tinha gente do mundo inteiro aqui. Atribuo isso à predominância econômica que São Paulo acabou alcançando depois da Primeira Guerra Mundial até o fim da Segunda, durante a primeira metade do século XX. Essa é a minha análise.

MJ: *Você coloca como contribuição sua nesse debate o fato de a desigualdade urbana estar ligada ao modo como se dá o desenvolvimento; o inchaço das cidades não é decorrente do desenvolvimento mas da falta de desenvolvimento.*

PS: Sim, é isso mesmo. Há uma visão conservadora, crítica do desenvolvimento. A elite paulistana que era toda de cafeicultores, gente do interior, diferente; a cidade era pequena e, de repente, explode, fica a maior metrópole do mundo; é a segunda maior depois Cidade do México. Por assim dizer deixa a elite agrícola, latifundiária, em segundo plano. Tanto assim que os políticos paulistas apoiavam a agricultura. São Paulo torna-se dominantemente industrial. A presença da indústria foi, sem dúvida nenhuma, marcante em São Paulo. Até hoje é. Mas houve uma enorme crise dos anos 1980 que realmente desindustrializou São Paulo. Mas antes disso, São Paulo era o maior centro industrial da América Latina.

MJ: *Acompanhar de perto São Paulo é medir o capitalismo brasileiro pelo pulso? Assim foi possível compreender o desenvolvimento do capitalismo no Brasil e conceber o seu oposto, a economia solidária?*

PS: É correto isso que você falou. Mas é preciso tomar um pouco de cuidado com os termos. A minha geração é toda discípula de Caio Prado Jr. Uma das bandeiras dele era mostrar que a colonização já era capitalista. Embora ele fosse um marxista ortodoxo, nessa questão estava fugindo de Marx. Para Marx, escravidão não tinha nada a ver com capitalismo, são duas coisas distintas. Ele era da elite, a família Prado era de latifundiários, políticos. Deve ter influenciado. Eu conheci o Caio Prado não tão bem a ponto de saber dizer o que o levou a essa visão. Mas para ele, o capitalismo não eram as relações de produção, como deveria ser para um marxista; para ele, o capitalismo era o mercado, era o lado financeiro, a acumulação; isso que era capitalismo. Portanto, já havia capitalismo no próprio descobrimento do Brasil. O que não estava errado, quer dizer, estava nascendo um mercado mundial, que levou às grandes navegações; sem o mercado mundial ele não existiria. Havia países mais avançados que a Europa, sobretudo a China, um enorme império, avançado em tudo em relação à Europa, desde a bússola. Ele era um bom historiador, um homem extremamente culto. Uma das coisas que irritavam o Caio Prado era a ideia muito forte dentro do Partido Comunista, e nos meios marxistas também, de que houve um feudalismo americano. Quer dizer, a colonização foi feudal em alguma medida. Eu sempre achei que isso era verdade. Quer dizer, feudalismo é uma coisa, escravidão é outra, é distinto. Mas, mesmo durante a escravidão, houve um trabalho importante do homem livre como um apoio fundamental para o escravocrata. Ele não podia ficar só com os negros, que ele acabava trucidando. Então, ele tinha, ao lado dos escravos, pequenos agricultores na propriedade cuja presença, em última instância, era garantir sua segurança. A meu ver isso era servidão, não servos da gleba, não era feudalismo europeu, mas era muito próximo; votavam nos candidatos do dono da fazenda, o voto era praticamente aberto; enfim, todas as mazelas do feudalismo se pode encontrar na sociedade rural brasileira. Há a escravidão de um lado e, do outro, há um feudalismo bastante acentuado, convivendo de alguma forma sem conflito. Portanto, as lutas contra o feudalismo, contra o latifúndio e pela reforma agrária faziam muito sentido. O Partido Comunista esperava que a burguesia industrial se aliasse a ele; estavam prontinhos para essa aliança, que não acontecia.

Eu li Caio Prado antes de ler Marx. Era normal isso, eu lia em português. Depois a gente fez o seminário, fui ler *O Capital*, aprendi outras coisas. Pude relativizar. Essas discussões, a importância do agro etc., foram trazidas para mim pelo Caio Prado. Ele era ator dessa brincadeira, não era só um observador. Ele nunca foi latifundiário pessoalmente, ele era historiador, geógrafo, professor e um grande autor. Esse foi um importantíssimo pano de fundo para todos nós.

MJ: *No seu* Memorial *para o concurso de professor titular da FEA/ USP, você apontou que concebia a questão agrária e outras reformas estruturais como necessárias para o devido desenvolvimento do país, isso antes do golpe de 1964. Como você entende a questão agrária hoje, uma vez que nem os militares nem os governos civis posteriormente realizaram a plena reforma agrária? E quais os contrapontos entre a questão agrária e a urbana?*

PS: Vamos por pedaços. Os militares que deram o golpe não eram reacionários, pelo contrário, mas deram um golpe. No momento em que tomaram o poder, estava uma lei em processo de criação, o Estatuto da Terra, que abria espaço para a reforma agrária. Os militares apoiavam João Goulart; tinham algo em comum. O João Goulart queria fazer a reforma agrária; era a paixão dele, achava que com a reforma agrária redimiria o Brasil. O país ainda era fortemente agrário, dependia basicamente da agricultura. Nós não exportávamos nada de produtos industriais. Os militares mudam de lado durante o golpe. Nós achávamos que sabíamos que o golpe fracassaria porque o exército era fiel ao povo, que havia elegido o João Goulart. O nosso exército, a oficialidade do exército era progressista, desde os tenentes, desde 1930. Uma grande parte da esquerda brasileira era de militares, os tenentes. Uma grande parte desses tenentes nos anos 1930, nos anos 1960 eram generais. Um fato concreto é que o levante anti-João Goulart se fez, e os outros militares teriam de entrar numa guerra civil extremamente sangrenta. Hesitaram e depois voltaram e aderiram ao golpe. Há depoimentos dos próprios militares. Essas coisas as pessoas geralmente não lembram porque é muito contraditório, muito inesperado. Houve um enorme expurgo nas forças armadas.

O governo militar brasileiro foi totalmente diferente dos outros governos militares que foram instaurados praticamente na mesma década, o argentino, o uruguaio e o chileno, que eram de direita, foram neoliberais. O Pinochet é conhecido como o primeiro mandante num país que aplicou as políticas neoliberais até o fim. Até hoje o Chile ainda está sofrendo a onda neoliberal, que veio de Chicago para Santiago. Os professores de Chicago sabiam que os seus melhores discípulos estavam no Chile. Os uruguaios não eram muito diferentes e os argentinos também. Já os brasileiros eram totalmente distintos. O milagre econômico que o Delfim Neto pôde fazer por haver contado com o apoio dos militares é o oposto do neoliberalismo. Ele fez uma política acentuadamente desenvolvimentista e estatista. Simultaneamente, enquanto o Pinochet estava fazendo as misérias lá, os argentinos também, e os uruguaios idem. Inclusive, o Uruguai teve uma emigração enorme nessa época por causa do desemprego. E o Brasil crescendo feito um louco, feito a China. Isso mostra um ponto importante: os militares brasileiros eram politicamente muito diferentes dos outros.

MJ: *Desde então, como você vê a questão agrária e a questão urbana hoje?*
PS: A questão agrária é um importantíssimo motor das transformações sociais progressistas no Brasil. Lembro-me muito disso porque convivi, não diretamente, não fui militante delas, mas convivi fortemente no Partido Socialista com as Ligas Camponesas. O Julião era deputado do Partido Socialista. Quando, na primeira vez na minha vida, fui fazer uma conferência em Recife (em 1961 ou 1962), me levaram para a sede do partido, onde também eram as Ligas Camponesas. Era um movimento de esquerda, que começou no Nordeste e depois se espalhou pelo Brasil inteiro. A questão agrária continua hoje tão importante quanto naquela época. Ela não foi resolvida, embora com o Lula tenha havido um enorme avanço. Havia uma grande discussão entre nós de que a modernização, a industrialização da agricultora, os tratores, os produtos químicos, eram vistos como progresso, aumentava a produtividade do trabalho etc.

Só que eram profundamente capitalistas e concentradores. O pequeno agricultor sofria porque não tinha dinheiro para competir com o grande. A questão agrária foi vital em todo esse período, no século XX inteiro, atravessando-o de cabo a rabo, desde a coluna Prestes até o fim do regime militar. Porque o país era economicamente agrário, mas do ponto de vista geográfico já era mais urbano, estava ficando porque a indústria estava se desenvolvendo só na cidade, não no campo. A injustiça dentro do campo, a desigualdade era chocante. O Brasil era basicamente um país agrícola, então, a grande transformação que teria que haver era na agricultura. Não por acaso eu estreei como professor da minha faculdade [FEA/USP] falando de agricultura, citando Caio Prado e outros. Hoje a agricultura é menos importante do que a indústria e a economia urbana. Mas tem um peso extraordinariamente grande; o Brasil, pela minha informação, é o maior exportador de alimentos no mundo, devido às condições ecológicas, ao clima, muita água, vegetação etc. e competência também. O nosso agronegócio, nesse sentido, teve muito êxito.

MJ: *Nesse sentido aparece como "resolvida" a questão agrária por causa desse sucesso do agronegócio?*

PS: Resolvida não. A bandeira da reforma agrária ainda continua levantada. A esquerda brasileira não pode abrir mão da reforma agrária, deve se manter contra a injustiça, por uma distribuição menos desigual da terra. Pelo que estou informado por estar no Governo (Secretário Nacional de Economia Solidária), as políticas que o Lula desenvolveu e que a Dilma continuou criaram um campesinato brasileiro relativamente próspero. Não há mais aquele caipira que estava morando na choupana, de uma forma extremamente primitiva e pobre e sem acesso a coisa nenhuma. Os militares – dá a impressão de que estou defendendo os militares – criaram uma aposentadoria generosa aos idosos do campo, sem contribuição. Ou seja, essas pessoas recebiam um salário mínimo quando ficavam velhas sem terem contribuído antes. O déficit da chamada Previdência Social, em grande parte, vem daí. Isso veio do Castelo Branco. O Pinochet não faria nunca. Eu me lembro no Cebrap, estávamos estudando muito a política agrícola, a questão da diferença regional etc. A gente descobriu que a aposentadoria agrícola mudou totalmente a sociedade no Nordeste e no Norte do Brasil. Os velhos passaram a ser muito importantes. O principal dinheiro da família pobre vinha da

Previdência, que só vinha enquanto o velho estava vivo; se ele morresse, acabava. Pelo que a gente verificou, isso mudou a situação para melhor no Nordeste. Algo semelhante ao Bolsa Família, com dimensões não muito diferentes. Foram os militares que fizeram. Depois, o Governo Lula transformou aquilo num programa mais ambicioso, mais sistemático de combate à pobreza. Não se tratava de combate à pobreza, era uma aposentadoria, semelhante à urbana. Como eles não eram assalariados, não havia como querer que eles pagassem, então, bastava o trabalhador ter alguma testemunha para dizer que ele foi agricultor tantos anos para receber a aposentadoria e a família toda viveria com isso.

Eu continuo achando hoje, em 2014, que a questão agrária nem de longe está resolvida no Brasil. Ela muda, não é a mesma questão agrária da minha juventude. Porque agora há um campesinato que responde por 70% dos alimentos consumidos no Brasil. Há uma divisão, o agronegócio é exportação, a agricultura familiar é mercado interno; economia solidária, agricultura familiar. De modo que a questão agrária continua mudando, esse é o ponto interessante. A questão agrária não está resolvida; é uma luta. Agora a agricultura está expulsando gente; a mecanização está se tornando factível economicamente aqui, já era factível tecnicamente há muito tempo. Avião e máquinas são usados para tudo quanto é lado. Parece-me que toda colheita de cana em São Paulo e Minas Gerais, que ocupava centenas de milhares de trabalhadores vindos do Nordeste e das regiões mais pobres, agora é feita por máquina. Estamos assistindo a uma industrialização da agricultura, uma das transformações extremamente importantes. Mas, ao mesmo tempo é uma modernização inclusive das relações sociais. A Confederação Nacional dos Trabalhadores na Agricultura (Contag) é um gigante sindical, e existem outros, como a Federação Nacional dos Trabalhadores e Trabalhadoras na Agricultura Familiar (Fetraf). Há um movimento agrícola de pequenos agricultores, assalariados agrícolas também, muito precário, só para colheita, mas existe. O papel da Igreja mais uma vez é essencial. Aliás, morreu há pouco tempo D. Tomás Balduíno, cheguei a conhecê-lo, era uma figura admirável.[2]

---

[2] Dom Tomás Balduíno foi um dos mais importantes lutadores junto aos camponeses da região Centro-Oeste e um dos fundadores da Comissão Pastoral da Terra. Faleceu em 02 de maio de 2014. (N. do Org.)

MJ: *Ainda ligado a isso, tenho uma pergunta provocadora. Nessa sequência de trabalhos seus, a urbanização aparece como um processo inexorável. É isso ou você compreende atualmente outros modos de vida e de produção não urbanos como caminho para um outro desenvolvimento não capitalista?*

Estou pensando, com essa pergunta, não no sentido do romantismo de uma volta ao campo, mas no sentido, pelo que você relata, do quanto cresce a economia solidária justamente nas regiões que não são a cidade, com o campesinato, os quilombolas e os indígenas. Pensar em outras formas de desenvolvimento no Brasil cujo vetor não estaria só no processo de urbanização. O que você tem a dizer?

PS: O assunto é interessantíssimo. O que está acontecendo a meu ver é que a agricultura familiar vai desbancar a agricultura capitalista no Brasil. Eu acho isso, não só porque eu quero, mas o argumento não é a vontade. Acontece simplesmente que a agricultura industrial está destruindo o planeta. Isto não é uma novidade brasileira, é no mundo inteiro. Mas nós estamos fomentando a agricultura ecológica. Ela está acontecendo, está crescendo na reforma agrária, na economia solidária, no MST, que foi pioneiro nisso, na Via Campesina. De repente surgiu como uma bandeira anticapitalista. E hoje, finalmente, o governo brasileiro – na época do Lula se fez pouco a respeito disso – há um movimento para ensinar os agricultores a fazer agroecologia. Não tinha apoio. Éramos o maior consumidor de venenos agrícolas do mundo. Recentemente, vejo a agroecologia em reuniões, congressos lá em Brasília, com apoio sobretudo da Secretaria Geral da Presidência. O Brasil está avançando, não sou pessimista em relação ao Brasil. E está avançando inclusive na questão agrária. Estamos finalmente avançando no sonho de Julião. Ter uma sociedade menos desigual, menos violenta, menos odienta que a que tínhamos antes.

A luta no campo, que eu sempre achei que era entre capital e trabalho, é algo diferente e muito complexo. De um lado o que você diz sobre reforma agrária e sobre economia solidária no campo é verdade. Existe isso, e o socialismo no campo não é um sonho mais, já é uma realidade por causa do MST que tem 70 cooperativas. Existem centenas de milhares de famílias assentadas que estão começando a sair da miséria. Foram assentadas e muitas delas abandonaram o assentamento depois, por não terem dado certo economicamente no início. Mas agora estão encontrando e se apoiando nos movimentos de economia solidária das cidades, inclusive para escoar a produção.

A grande saída dessa nova agricultura socialista é, na verdade, o que nós chamamos na economia solidária de consumo responsável e consciente. Estamos cultivando cooperativas de consumo que compram diretamente das cooperativas de camponeses. É uma ideologia de esquerda. Sinceramente não tenho ideia da dimensão disso. Eu acho que está crescendo, sobretudo com o MST. Sou grande admirador do MST e amigo de alguns de seus dirigentes. Ele criou uma perna urbana; é tão interessante! Do campo para a cidade, para lutar pelos sem-teto.

A única coisa que estou reafirmando o tempo todo é que as coisas não ficam como são. Portanto, a coletânea que você está organizando é história. Deverá ser útil para as pessoas saberem o que veio antes, senão o presente fica indecifrável. Saber como as coisas mudaram torna-se mais transparente, você se encontra melhor. Nesse sentido essa edição pode ser útil e espero que seja.

MJ: *Muito obrigado. Você é sempre muito generoso.*

Este livro foi composto com tipografia Bembo e impresso
em papel Off-White 80 g/m² na Formato Artes Gráficas.